Primer romancero gitano
(1924-1927)

Otros romances del teatro
(1924-1935)

Biblioteca García Lorca

Federico
García Lorca

Primer romancero
gitano
(1924-1927)

Otros romances
del teatro
(1924-1935)

Edición de Mario Hernández

El libro de bolsillo
Biblioteca de autor
Alianza Editorial

Primera edición en «Obras de Federico García Lorca»: 1981
Octava reimpresión: 1997
Primera edición, revisada, en «Biblioteca de autor»: 1998
Novena reimpresión: 2007

Diseño de cubierta: Alianza Editorial
Ilustración: *Verde que te quiero verde,* dibujo de Federico García Lorca
© VEGAP, Madrid, 1998
Proyecto de colección: Odile Atthalin y Rafael Celda

© Herederos de Federico García Lorca
© Edición, introducción y notas: Mario Hernández
© Alianza Editorial, S. A., Madrid, 1981, 1983, 1986, 1988, 1990, 1993,
1994, 1995, 1997, 1998, 1999, 2000, 2001, 2002, 2003, 2004, 2005, 2007
Calle Juan Ignacio Luca de Tena, 15; 28027 Madrid; teléf. 91 393 88 88
www.alianzaeditorial.es
ISBN: 978-84-206-3384-8
Depósito legal: M. 7.524-2007
Impreso en Closas-Orcoyen, S. L. Polígono Igarsa
Paracuellos de Jarama (Madrid)
Printed in Spain

SI QUIERE RECIBIR INFORMACIÓN PERIÓDICA SOBRE LAS NOVEDADES DE
ALIANZA EDITORIAL, ENVÍE UN CORREO ELECTRÓNICO A LA DIRECCIÓN:

alianzaeditorial@anaya.es

Introducción*

El romance: río de la lengua española: así tituló Juan Ramón Jiménez una de sus conferencias, por igual injusta y veracísima, según a qué llagas o luces tocaba. Dejó allí sentado el poeta moguereño: «He dicho siempre que [el romance] es el pie métrico sobre el que camina toda la lengua española, prosa o verso». Federico García Lorca no podía haber escapado a este destino de su lengua española y andaluza, al mismo cauce escondido de la tradición popular, incorporado desde el principio a su voz de poeta culto. Romances, en efecto, los hay en toda su obra, desde la «Canción otoñal» hasta la «Baladilla de los tres ríos», la «Canción de jinete», la «Cantiga do neno da tenda», la «Casida de las palomas oscuras» o el «Canto nocturno de los marineros andaluces». La enumeración, aquí sólo indicativa, se abre a todos los libros

* Agradezco la ayuda que me han prestado, mediante la respuesta a mis consultas o lectura del manuscrito de la presente introducción, mi hermano Francisco J. Hernández, Christopher Maurer y Jesús Antonio Cid, aparte las personas que se citan en el interior del texto.

del poeta, con excepción del proyectado libro de *Odas,* por lo que de él conocemos, y de *Poeta en Nueva York.*

Era idea de Francisco García Lorca, que me comentó en una ocasión, el reunir todos los romances de su hermano en un solo volumen, como muestra, bajo un único registro métrico, de la rica variedad de la voz lorquiana. De la sugestiva oportunidad de aquella idea parte el presente libro, orientado, sin embargo, hacia un campo más limitado. Junto al *Primer romancero gitano,* he querido recoger únicamente otros romances procedentes del teatro de Federico García Lorca. De este modo, se individualizan textos poéticos que habitualmente no han sido gustados como piezas sueltas, al tiempo que se evita la desmembración de los diversos libros de poesía, lo que parece impropio en la perspectiva de una colección como la presente. Podrá objetarse la violentación que acaso sufren estos romances del teatro al despojarlos del contexto en el que cobraron vida. Algunos de ellos aparecen en su lugar original dichos por más de un personaje, con una funcionalidad dramática precisa que se desvanece al ofrecerlos aislados. Sin entrar en el análisis del problema –planteado en parecidos términos con la obra de otros poetas dramáticos, como el mismo Lope–, recordemos que el propio García Lorca autorizó ya en vida esta posibilidad con piezas como «Romance de la corrida de toros en Ronda», «Romance de la muerte de Torrijos», «Romance de la talabartera», «Tema de la rosa mudable». Rafael Alberti y Guillermo de Torre actuaron de modo semejante, aunque sin duda con mayor libertad, en su *Antología poética* lorquiana (Buenos Aires, 1943). Para resumir el criterio adoptado, diré que he seleccionado aquellos romances o romancillos que, aun fuera de las obras a las que pertenecen, no por ello carecen de un valor poético autónomo. Si éste, entendido en su plenitud de connotaciones, puede juzgarse como disminuido en algún caso, tal vez el lector no desdeñe la sorpresa de encontrar en este nuevo romancero lorquiano las sales populares del romance de ciego de *La zapatera prodigiosa* (en cuyo fondo ha de imaginarse el correspondiente cartelón de ironizada truculencia), o el romance «metafísico», de planta clásica, que la figura del Arlequín dice con caretas cambiantes en *Así que pasen cinco años*. No obstante, presidido este volumen por los «romances gitanos», las palabras que siguen, más la documentación y cronología crítica que lo cierran, están referidos al *Primer romancero gitano*. Tiempo y ocasión habrá de situar el resto de los romances en sus contextos originales respectivos.

*

En julio de 1928 se publicaba en Madrid el tercer libro poético, en orden de aparición, de Federico García Lorca: *Romancero gitano*. El volumen, de pequeño formato, impreso en papel de no excesiva calidad, llamaba la atención por el diseño y dibujo de la cubierta, con su vivo contraste de tintas roja y negra. Gabriel Celaya, por aquel entonces estudiante de Ingeniería y pintor, además de jovencísimo miembro de la madrileña Residencia de Estudiantes, ha evocado su reacción cuando vio el libro en un escaparate: «Su autor me era desconocido, y su título –*Romancero gitano*– no me decía nada. Pero había en la cubierta un dibujo en rojo y negro que me fascinó»[1]. El sello del poeta granadino, que ya en el año 1927 había realizado una exposición de dibujos en Barcelona, se afirmaba en aquellas líneas y colores, en ruptura con la elegante, pero sobria tipografía de la época, de la que sólo conservaba, sutilmente, el juego de tintas propio de algunas cubiertas y portadas. Juan Chabás, el crítico y poeta levantino, escribía en una reseña la siguiente descripción: «Sangre roja y cuajada, heridas de infantil caligrafía, escriben el nombre del libro. En equilibrio de gracia esbelta, tres negros

1. Gabriel Celaya, «Recordando a García Lorca», *El País*, 10-VI-1976.

girasoles de tinta china o de azabache de tirabuzón gitano sostienen el rótulo, húmedos de ternura, en un búcaro popular que abre su boca de cerámica como una corola rizada de dompedro. Detrás, España roja, también de sangre, con perfil de cresta de gallo más que de piel de toro. En campo de nieve de papel, todo. Debajo, con letras de dibujada y compuesta torpeza, que silabean cada trazo del nombre, la firma del autor: Federico García Lorca. Y una fecha (1924-1927), y un conocido membrete editorial, de estirpe noble ya: "Revista de Occidente"» (*La Libertad,* 1-IX-1928).

Los datos de la cubierta, con su *Romancero gitano* impreso en rojo, han resultado con el tiempo definitorios del celebérrimo libro. Sin embargo, tanto la portadilla como la portada que abren esta primera edición son las que reproducen el título completo y real del volumen: *Primer romancero gitano.* Este título era también el mismo –y único– que había recogido la publicidad de *Revista de Occidente,* en números de 1928. García Lorca, al dibujar caligráficamente el título, debió optar por su más sencilla reducción. Razones de espacio, el juego de blancos y el calculado tamaño de las letras le impulsarían a ello. Esta verosímil hipótesis nos lleva a preguntarnos sobre el significado del adjetivo numeral. Sin descartar un vago eco gongorino (recordemos por vía de contraste, y sólo en lo que a títulos se refiere, el *Primero sueño* de Sor Juana Inés de la Cruz), cabe presuponer, como declaradamente implícito, el proyecto de un *Segundo romancero gitano.* Contra esta suposición hay que objetar, sin embargo, que ni concuerda con el proceder habitual del poeta, ni está corroborada por documentación alguna. Sí es cierto, en cambio, que García Lorca pensó ampliar el libro en su segunda aparición (Madrid, Revista de Occidente, 1929). En una breve carta familiar indica, en efecto, que quiere añadir, para la segunda edición, «tres romances más que estoy haciendo». Indudablemente este añadido, de haberse llevado a cabo, no habría supuesto el nacimiento de un nuevo libro de romances, sino la simple ampliación del primero. De todos modos, los tres a los que el poeta aludía no debieron ser terminados. No obstante, su probable escritura, aunque sólo fuera en borrador inacabado, se muestra apoyada por el conocimiento que nos proporciona el epistolario lorquiano de romances de los que sólo sabemos el título. Alguno de ellos, como el «Romance del gitanillo apaleado», se da como escrito en carta a Jorge Guillén de 2 de marzo de 1926, por más que hoy nos sea desconocido.

El que García Lorca no pensara realizar una segunda parte de su *Romancero* se confirma, además, por su reiterada afirmación, desde enero de 1927, de que lo gitano no era para él más que un tema, entre otros muchos posibles. De este modo rechazaba el «mito» de su adscripción exclusiva a lo gitano, con la imagen que podría conllevar de poeta iletrado y desgarradamente popular. Insistirá todavía en 1933: «El *Romancero gitano* no es un libro popular, aunque lo sean algunos de sus temas».

Hemos de deducir, por consiguiente, que *Primer romancero gitano* significaba, en el sentir del autor, primer romancero escrito sobre el mundo gitano. García Lorca exaltaba así la novedad de su intento y señalaba la singularidad temática de su libro. Aludidos en sombra quedaban los romances históricos del xix (todavía presentes, aun de manera personalísima, en sus «Tres romances históricos»), el romancero artístico del Siglo de Oro, los mismos romances viejos. La novedad encerraba su término opuesto: continuidad, en la línea culta, del popularísimo molde del romance aplicado a una temática inédita. Como parangón más cercano, el romancero morisco de Lope y Góngora, con su brillante exaltación de un mundo y tipos humanos exóticos, descritos con simpatía tras su *vencimiento,* ya definido a través de vívidas escenas en los romances fronterizos. Así pues, no importa que el tema gitano haya sido tratado por poetas del xix, siempre de manera parcial y no proclive ni al entusiasmo ni a la estimación. Dentro de la tradición culta, *La gitanilla* de Cervantes, con su idealización del existir gitano y el hallazgo magnífico de Preciosa, acaso representa el modelo que el poeta pudo tener más presente, salvadas las evidentes distancias y diferencias. Ha de observarse, por otra parte, que lo gitano presta al tapiz del libro el color dominante, pero de ningún modo el único.

No obstante, cabe añadir otra razón sustancial, aparte de la temática, por la que el romancero lorquiano se denominó «gitano». García Lorca tal vez quiso señalar que no sólo era el primero que daba vida a un mundo despreciado, sino que reivindicaba la tradicionalidad gitana del romance. Tal como ha observado Andrés Soria, el poeta supo captar dos facetas de los gitanos: «Su valor de depositarios de la tradición y de voceadores de ella con un amaneramiento especial. Y así pudo elevarlos a la categoría de símbolos, acaso regionales, pero de una región en la cual [...] lo castellano se ha conservado en su vigor arcaico»[2]. El gitano no ha sido sólo propagador de un cante con modalidades propias (cante que se fundiría con otras características andaluzas), sino que ha transmitido también, pero más de puertas adentro, el romancero tradicional. Partiendo de la época de Estébanez Calderón, Antonio Mairena ha hablado de un «estilo gitano» peculiar en el canto del romance, dando a entender que han sido sobre todo las mujeres las que más han preservado esta vieja forma poética. Refiriéndose el *cantaor* gitano de Mairena de Alcor a su infancia (nace en 1909), menciona dos nombres femeninos: Vicenta la de Cabrera, «que cantaba por romances y por tangos», y una tía abuela, de nombre Francisca, la cual «cantaba por romances que no se podía aguantar. De ella aprendí el romance de Gerineldos, el de Bernardo del Car-

2. «El gitanismo de F. G. L.», *Ínsula*, núm. 45 (1949), pág. 8; en *De Lope a Lorca y otros ensayos*, Granada: Universidad, 1980, págs. 43-49

pio, el del Conde Niño...»[3]. Hay, pues, entre los gitanos un «cante por romance», como por *soleares* o por *seguiriyas,* si bien su difusión, fuera del círculo de los de la misma raza, haya sido mucho más tardía, bien por el aspecto reiterativo de una melodía aplicada a un texto largo, lo que convertía al romance en poco apto para su canto en público, bien por su carácter de canto más íntimo y familiar, al que no han tenido fácil acceso los extraños. Es indicativo a este propósito el que García Lorca acompañara a Menéndez Pidal, en la recogida de romances que el investigador realizó en 1920 en Granada, por los barrios esencialmente gitanos del Albaicín y del Sacromonte. En el verano de 1921 el poeta comienza el aprendizaje de la guitarra. Escribe entonces a Adolfo Salazar: «Acompaño ya fandangos, peteneras y *er cante de los gitanos:* tarantas, bulerías y ramonas. Todas las tardes vienen a enseñarme el Lombardo (un gitano maravilloso) y Frasquito er de La Fuente (otro gitano espléndido). Ambos tocan y cantan de una manera genial, llegando hasta lo más hondo del sentimiento popular»[4]. Puede aducirse otro dato de extrema importancia: según tradición familiar, que me confirma Isabel García Lorca, una bisabuela del poeta, Josefa Rodríguez, que será recordada entre los suyos como «la abuela rubia», por el color de su pelo, era de raza gitana. Por otra parte, ya en el hogar de Josefa Rodríguez y Antonio García tenía importancia la afición musical, que transmitieron a sus nietos, entre ellos el padre del poeta[5].

En el caso de García Lorca se produce, por consiguiente, una identificación natural con el mundo gitano, el cual le lle-

3. *Las confesiones de Antonio Mairena,* ed. A. García Ulecia, Sevilla, 1976, págs. 18-19, 44 y 46-47.
4. *Trece de Nieve,* 2.ª ép., núm. 1-2, 1976, pág. 34. Cuando publiqué esta carta transcribí «tarantas, bulerías y romeras». Lorca escribe «ramonas», cante que no alcanzo a identificar.
5. *Vid.* Francisco García Lorca, *Federico y su mundo,* Madrid, 1980, págs. 28-29.

ga especialmente por medio de la música y el canto. En este sentido, y como luego señalaré más en detalle, el *Primer romancero gitano* está en su origen ligado al *Poema del cante jondo,* del cual se desprende y con el que mantiene claros lazos de unión. El cante jondo, cante gitano-andaluz en su desarrollo moderno, está en la raíz de los dos libros, conviniéndole al *Romancero* la misma apuntada calificación de gitano-andaluz, por la suma de elementos que en él concurren, bien entendido que el romance lorquiano es un romance culto, de sabia complejidad, por más que sus raíces espontáneas se ahínquen en una remota tradición oral.

Aun sin haber procedido a un cotejo completo de las seis o siete ediciones del *Romancero* que se hicieron en vida del poeta (la última de 1936), cabe deducir, como explico en las notas finales, que el poeta revisó el texto de la *princeps* al menos en la tercera edición (Buenos Aires, Sur, 1933). Aparte de enmendarse varias erratas, se introducen cambios de puntuación, se añaden blancos y nuevos signos tipográficos, como el guión anunciador de entrada de diálogo, no usado ni en la edición primera ni en la segunda. Esta última innovación se ve apoyada por los autógrafos, donde el poeta entrecomilla los fragmentos de diálogo de sus romances. (Este uso, no adoptado para el *Romancero,* se observa, sin embargo, en *Canciones.*) La tercera edición presenta otra importante novedad: el título reducido en cubierta y portada, con pérdida del adjetivo numeral. No es seguro que la reducción se deba al poeta, pues la portadilla sigue reproduciendo el título original completo. La contradicción vuelve a producirse del mismo modo en la quinta salida del *Primer romancero gitano* (Madrid, Espasa-Calpe, 1935). En esta edición la viñeta de la cubierta, cuyo texto es de composición tipográfica, es un nuevo dibujo lorquiano: un motivo vegetal (el mismo que acompañará muchas de sus firmas de última época) se enreda en torno a una media luna en creciente sobre la que llueven unas gotas, se supone que de sangre. Dibujo y letras actúan como negativo en blanco sobre un fondo rojo pálido, casi rosa. Por otro lado, esta edición sigue, con leves cambios, el texto de Buenos Aires. La conclusión que se impone es la validez concedida por el autor a la tercera edición de su libro, que ha de ser tenida en cuenta, junto con los autógrafos y versiones previas aparecidas en prensa y revistas, para la fijación del texto del *Romancero* lorquiano.

Otro aspecto crítico de importancia es el de la cronología del *Primer romancero gitano*. El poeta declaró en la misma cubierta de la primera edición, escritos con tipos de máquina de escribir, los años que enmarcan la composición de su libro: 1924-1927. Como en el caso del *Poema del cante jondo*, que García Lorca dataría en 1921, siendo esencialmente fiel a la fecha de redacción del núcleo del libro, nada hay que objetar a los límites cronológicos marcados por el autor para su *Romancero*. No obstante, pueden añadirse algunas matizaciones de interés. Los tres años que median entre 1924 y 1927 indican el tiempo clave de escritura del libro, independientemente de que el proyecto pueda ser anterior a 1924, lo que parece difícil de probar, o que alguno de los romances fuera escrito con anterioridad a dicho año.

De acuerdo con la cronología que cierra este libro, la cual me exime de explicaciones en detalle, la «Burla de Don Pedro a caballo» fue escrita, en su primera versión, el 28 de diciembre de 1921, día de los Santos Inocentes. Aunque en aquellos sus primeros años de escritor García Lorca se declare en una carta «estudiante-poeta y pianista-gitano», o selle otra de sus comunicaciones epistolares con «un gran abrazo (estilo gitano)»[6], nada sugiere que el *Primer romancero gita-*

---

6. La primera cita es de una carta a Antonio Gallego Burín, fechada por su editor en agosto de 1920 (cf. F. G. L., *Cartas, postales, poemas y dibujos*, ed. A. Gallego Morell, Madrid, 1968, pág. 112); la segunda pertenece a

no hubiera fraguado en la mente del poeta. Esto no impide que la forma romancística, con influjos de Antonio Machado y Juan Ramón Jiménez, esté presente en el primer libro poético del autor, *Libro de poemas* (1921). De 1923 es un romance «escénico», lírico y narrativo, escrito con función de aria para la ópera cómica en un acto *Lola la comedianta:* «Arbolé arbolé». (El poema pasará luego a *Canciones.*) No es probablemente un error pensar que el propio poeta es personaje tácito del exquisito romance:

> Cuando la tarde se puso
> morada, con luz difusa,
> pasó un joven que llevaba
> rosas y mirtos de luna.
> «Vente a Granada, muchacha.»
> Y la niña no lo escucha.

Tal vez de 1923 es también el «Romance de la luna, luna», si aceptamos el testimonio de un amigo juvenil del poeta, José Mora Guarnido. La temprana fecha podría estar apoyada, aparte otras razones, por el protagonismo infantil de la escena que se dibuja, el mismo de la primera «laguna» de la «Burla de Don Pedro a caballo» y de muchos de los poemas de *Suites* y *Canciones.* Refiriéndose a estos libros, escribe Fernández Almagro en un artículo del mencionado año: «Los niños cantan en una encrucijada del mundo. Nada de color local en el paisaje: todo alude a muchos horizontes. Y el sol y la luna que se suceden, son el sol y la luna de cual-

una carta de principios de 1923, dirigida a Regino Sainz de la Maza y editada por Antonina Rodrigo (*García Lorca en Cataluña*, Barcelona, 1975, pág. 160). Ha de unirse a estos testimonios el «Madrigal de verano», del *Libro de poemas,* fechado por el poeta el mismo mes y año que la primera carta antes aludida: «Junta tu roja boca con la mía, / ¡oh Estrella la gitana! / Bajo el oro solar del mediodía / morderé la manzana» (*Libro de poemas,* Madrid, Alianza Edit., 1998, pág. 93).

quier parte. (No hay Internacional más cierta y firme que la de los niños.) El buen Dios de la infancia puebla cielos y tierra de graciosas fantasías». Esta afección a lo infantil y su mundo no es de ningún modo prueba concluyente de la fecha aludida del «Romance de la luna, luna», pero nos sirve al menos para advertir uno de los lazos de unión del *Romancero* con los libros anteriores. No cabe olvidar, por otro lado, que romances y romancillos se dan en los dos mencionados libros y en el *Poema del cante jondo,* sin que haya que dejar de lado el predominio del octosílabo en *Mariana Pineda,* obra que el poeta, para que no haya duda sobre sus fuentes de inspiración, subtitula «Romance popular en tres estampas». El «Romancillo del bordado» que recitan los hijos de Mariana, más los romances dedicados a la corrida de Ronda y a la muerte de Torrijos, son, en clave infantil o romántica, piezas aislables y muy próximas a las del *Primer romancero.* Se cumple así esa apenas analizada interrelación, continua en toda la producción lorquiana, entre obras poéticas y teatrales, que en *Mariana Pineda* desborda los momentos señalados. En su conferencia-recital sobre el *Romancero* García Lorca dejará dicho: «Desde el año 1919, época de mis primeros pasos poéticos, estaba yo preocupado con la forma del romance, porque me daba cuenta que era el vaso donde mejor se amoldaba mi sensibilidad».

Todo estaba, pues, preparado para la composición de un libro unitario de romances. El momento germinal del proyecto puede situarse en julio de 1924, cuando el poeta escribe sobre una hoja suelta el título de *Romances gitanos* y copia debajo, bajo el número 1, el «Romance de la luna, luna», que serviría de pórtico al libro. No está claro, de todos modos, que los indicados título y numeración implicaran necesariamente título de libro pensado como tal. Si clara la idea de una serie de «romances gitanos» (y el plural debe indicar que otros estaban ya escritos o pensados), no debió ser hasta 1926, como señalaré, cuando el *Primer romancero* fragua como unidad desgajada. En 1924, no obstante, podemos documentar el «Romance sonámbulo», «La monja gitana» y el «Romance de la pena negra», más el comienzo del «Romance de la Guardia Civil española», terminado dos o tres años después. En enero de 1926 fecha el popularísimo «La casada infiel». Poco después escribe el poeta a su hermano Francisco: «El romancero gitano quisiera reservarlo y hacer un libro sólo de romances. Estos días he hecho algunos, como el de *Preciosa* y el "Prendimiento de Antoñito el Camborio". Son interesantísimos. Si me contestas pronto te los mandaré».

Este fragmento necesita ser situado en su adecuado contexto respecto a la incesante creación de García Lorca. Como descubre la carta citada, a principios de 1926 corrige y proyecta la publicación de tres libros, que habrían salido conjunta o escalonadamente: *Suites, Poema del cante jondo* y *Canciones*. «A costa de un gran esfuerzo», efectúa la corrección y revisión de todos los poemas. Añade a su hermano: «He visto *completas* cosas que antes no veía y he puesto en equilibrio poesías que cojeaban pero que tenían la cabeza de oro». Vuelto sobre antiguos borradores, el poeta busca el hilo de oro que dé consistencia y equilibrio a sus creaciones, ahora vistas en su completa trabazón y orden. Con estupenda imagen, que he transfigurado levemente, sabe que el núcleo de sus poemas, a salvo de algún verso o estrofa, está perfectamente prendido como por un alfiler de «cabeza de oro». Es el poema «fijo», sin carencias ni cabos sueltos, que García Lorca tratará de conseguir en los mencionados libros y en el *Primer romancero*. Y es en este momento, febrero de 1926, cuando decide *reservar* (fijémonos en el término) los romances para un libro independiente. Es ésta la primera declaración expresa que nos es conocida sobre el libro como proyecto unitario. Como contrapartida, todavía las «canciones andaluzas» estaban adscritas, según la misma carta, al *Poema del cante jondo,* si bien pasarán en 1927 a *Canciones*.

Del mismo modo, los «romances gitanos» pudieron ser en su origen una serie incipiente sin destino prefijado.

Prueba de la conformación creciente del libro en 1926 es el envío del «Romance de la luna, luna» en carta a M. Fernández Almagro, con cita subsecuente del «Romance de la pena negra», «Romance sonámbulo», «Romance de la Guardia Civil española» y «Romance de Adelaida Flores y Antonio Amaya», del que en realidad sólo conocemos el título, pues el único punto de contacto que ofrece con la primera versión conocida de «La casada infiel» resulta demasiado leve como para suponer que estamos ante un mismo romance diferentemente nombrado. Lo cierto es que García Lorca aludirá, tras la citada enumeración de romances, a «otros de diferentes clases» (por el contexto se supone que escritos), añadiendo a continuación: «Mi idea es hacer un *romancero gitano*». Si exceptuamos el dedicado a esa desconocida pareja gitana, la copia del primer romance, más la cita de los otros tres, nos retrotrae a 1924, como si la serie hubiera sido retomada, una vez decidido el libro. (Al lado ha de situarse –últimos meses de 1925 o comienzos de 1926– la versión casi definitiva de la «aleluya erótica» *Amor de don Perlimplín con Belisa en su jardín,* pieza teatral que muestra, junto a otros ejemplos que podrían mencionarse, el entrecruzamiento continuo de obras y proyectos distintos en el mundo creativo del poeta.)

En marzo de 1926 García Lorca anticipará a Jorge Guillén: «Estoy terminando el Romancero gitano». La afirmación, que repetirá a partir de este momento en cartas sucesivas, va cobrando realidad con la escritura de nuevos romances o la terminación demorada de otros ya empezados tiempo atrás. En el indicado mes cita y comenta a Guillén «La casada infiel», «Preciosa y el aire» y el «Romance del gitanillo apaleado», segundo que nos es desconocido. En agosto, mientras veranea con su familia en Lanjarón, escribe «Reyerta» y «San Miguel», este último descripción de la romería que se realiza en la festividad del arcángel –29 de septiembre–, cuya imagen, nada distinta de la que el poeta describe, se venera en la ermita de San Miguel el Alto, sobre el granadino Cerro del Aceituno. Dos perspectivas abren y cierran este romance de Granada: la imaginada desde las barandas de miradores y balcones de la ciudad y la que se divisa desde el mismo Cerro, ya convertida en «primor berberisco de gritos y miradores». Es una antigua Granada la evocada, muy próxima a la de la futura *Doña Rosita,* con «manolas», «altos caballeros», «damas de triste porte» y un obispo de Manila de viejos ojos enrojecidos. Pero escrito el romance en Lanjarón («Estoy en Sierra Nevada y bajo muchas tardes al mar. ¡Qué mar prodigioso el Mediterráneo del Sur!»), el poeta pone en escena, en fondo de geografía abarcadora, el mar lejano y la «aurora salobre» que se quiebra en los recodos de la montaña. Es la Granada física y socialmente encerrada, por más que ese mar imaginario finja balcones en su olas (nuevas y fugacísimas barandas en la metáfora subyacente), mientras «las señoritas de Granada se suben a los miradores encalados para ver las montañas y no ver el mar. [...]. Por las tardes se visten con trajes de gasas y sedalinas vaporosas y van al paseo, donde corren las fuentes de diamante y hay viejos suplicios de rosas y melancolías de amor. [...]. Tienen grandes conchas de nácar con marinas pintadas y así lo ven; tienen grandes caracolas en sus *salas de estrado* y así lo oyen»[7].

En noviembre, ya en Granada, García Lorca trabaja en el «Romance de la Guardia Civil española» (del que envía un largo fragmento a Guillén) y en el que primeramente llama

7. Pertenece este texto a una carta a Ana María Dalí, probablemente de 1926 (*OC*, II, Madrid: Aguilar, 1977, págs. 1273-1274), donde García Lorca describe la vida social de su ciudad como «prodigiosa de poesía y putrefacción lírica», estancada, pues, como el agua de estanques y aljibes (agua muerta), frente a la vida abierta de las ciudades con mar y puerto, Andalucía de Málaga, Cádiz y Sevilla, ésta con su camino para los barcos de vela, Guadalquivir de la «Baladilla de los tres ríos».

«Romance del martirio de la gitana Santa Olalla de Mérida». Del martirio colectivo se pasa al martirio de un ser individualizado, consagrado en el martirologio cristiano y elevado, en su evolución fonética popular (Eulalia, Olalla) a topónimo de varios pueblos españoles. Entre ellos existe uno, Santa Olalla, perteneciente a la provincia de Huelva y situado en la ruta Sevilla-Mérida. En uno y otro romance encontramos esas plásticas imágenes tan propias del poeta (y en especial del *Primer romancero*), que parecen de un motivo escultórico o pictórico[8]; así, las manos cortadas de la santa, «que aún pueden cruzarse en tenue / oración decapitada», o la visión de Rosa la de los Camborios, que transfigurada de pronto en una tácita Santa Águeda, gime «con sus dos pechos cortados / puestos en una bandeja». Este motivo iconográfico se repite en el romance de la mártir («el cónsul porta en bandeja / senos ahumados de Olalla»), como si la santa de Mérida se identificase con la citada gitana, las dos perseguidas por semejantes fuerzas opresoras de la inocencia[9]. Y es que García Lorca debió trabajar casi paralelamente en los dos romances. Hablando de los guardias civiles dice en su carta a Guillén: «A veces, sin que se sepa por qué, se convertirán en centuriones romanos». Entre las casi figuras de nacimiento que se insinúan en la ciudad gitana, no hubieran desdicho tales

8. Francisco García Lorca ha señalado, a este propósito, la presencia en la poesía de su hermano de una «tendencia a la plastificación y humanización del sentimiento religioso», la cual ejemplifica acertadamente en el recuerdo de un cuadro de Ánimas (puede pensarse también en pequeños grupos escultóricos con el mismo motivo) proyectándose sobre los versos siguientes del «Martirio»: «Mil arbolillos de sangre / le cubren toda la espalda / y oponen húmedos troncos / al bisturí de las llamas» (ob. cit., pág. 31).
9. Sobre el tema, véase la edición de Allen Josephs y Juan Caballero del *Romancero gitano*, junto con *Poema del cante jondo*, Madrid, 1977, pág. 287, más la bibliografía que allí se indica. El «Martirio de Santa Olalla» encuentra su fuente de inspiración en la *Introducción al símbolo de la fe*, de fray Luis de Granada. Véase, al final, «Cronología»: 1926.

centuriones –también de paso de Semana Santa–, que sólo se incorporarán al «Martirio de Santa Olalla». Mas los amenazantes signos de muerte, ya efectivos o en potencia, alcanzan intensidad semejante. Así, mientras la mártir es sometida a los sufrimientos de la rueda de santa Catalina, levemente aludida (y magnificada), «un rumor de siemprevivas», flor de muerte, «invade las cartucheras» de los guardias civiles. Consumado el martirio de Olalla, los centuriones, netamente romanos, serán definidos por un color simbólico negativo –el amarillo–, con inmediata superposición cromática del mismo significado: «carne gris», «armaduras de plata». Como nuevos titanes, se atreven incluso a hacer resonar sus armaduras en las puertas del cielo, blasfemo atrevimiento cuando el cuerpo de la santa ha sido ya consumido por el fuego.

Podríamos extremar el paralelo: si Mérida preside el suplicio de la mártir cristiana, otra ciudad será objeto de saqueo y destrucción por el fuego en el primer romance, aunque los escenarios sean claramente distintos. ¿Ciudad innominada la segunda? En dos octosílabos surge el nombre de Jerez de la Frontera, refrendado por la presencia de las botellas de coñac (¿que se hace el muerto al disfrazarse «de noviembre»?) y por el cortejo en el que viene Pedro Domecq entre los tres Reyes Magos. Pero el poeta no es o no quiere ser del todo explícito. Queda flotando la duda de si Jerez no es simple amarre geográfico andaluz, lejano telón donde unos quebradizos «gallos de vidrio» –amenazados en su propio canto y aviso de un alba que alumbrará la culminada destrucción– se alían a un verso de sustantivos en quiasmo –«agua y sombra, sombra y agua»–, superposición de negruras sin fondo. El mismo «almizcle», las «torres de canela», los «sultanes de Persia» dan un tono orientalizante a la ciudad gitana, como de una Palestina imaginada por manos infantiles en el multicolor escenario de un nacimiento. Sobre él se proyectan versos que diseñan con hermosa delicadeza un ámbito que roza el de algunos villancicos navideños. Pero, preguntándose por la ciudad de los gitanos, el poeta dice con orgullo al fin de su romance: «Que te busquen en mi frente. / Juego de luna y arena». Ciudad, pues, absolutamente imaginaria, sometida a la destrucción absoluta –desierto de arena y luna–, como la propia «frente» del poeta, de donde con clara consciencia han brotado, transformado el mito de Minerva, torres y calles y veletas. No obstante, García Lorca supo descubrir, con un golpe de genialidad, esa su ciudad gitana en la letra de un baile gitano, la cachucha:

> Esta noche mando yo,
> mañana mande quien quiera;
> esta noche he de poner
> en las esquinas banderas.
> Anda, salero,
> cómo ha *llovío;*
> la calabaza
> se ha *florecío.*

Esta canción, con baile incluido, fue utilizada por el poeta para su escenificación de *El burlador de Sevilla* con el grupo de La Barraca[10]. Además, el cuarto octosílabo pasará íntegro al romance gitano, asociados en el verso inmediato los términos «luna» y «calabaza», que, como en el «Romance de la pena negra», resultan atraídos por el color amarillo de la flor.

Un talante épico y dramático domina el romance de la destrucción de la ciudad de los gitanos, sorprendida en el ingenuismo de su luminosa fiesta por el poder siniestro de sables y fusiles, de los que surge el viejo fulgor de la pólvora ne-

10. El texto, cuyos datos agradezco a Isabel García Lorca, aparece citado por José Mora Guarnido, *F. G. L. y su mundo*, Buenos Aires, 1958, pág. 190. Lo cita de nuevo Luis Sáenz de la Calzada, *«La Barraca». Teatro Universitario*, Madrid, 1976, pág. 80.

gra, la cual abre en la noche sus momentáneas rosas de fuego. Se vislumbra en el romance el recuerdo del otro antiguo dedicado a «Álora, la bien cercada». En éste, moros y moras suben al castillo, para sostener el cerco, las provisiones necesarias y el «oro fino» que hay que resguardar. En los versos lorquianos son «gitanas viejas» las encargadas de huir en la noche «con los caballos dormidos / y las orzas de monedas». Unos y otras suben hacia un lugar elevado: castillo en el primer romance; portal de Belén, en el segundo. Que el portal donde «los gitanos se congregan» está en un alto lo prueba la huida y lucha a través de «calles empinadas». No deja de ser tiernamente irónico que el lugar de protección sea el máximo símbolo religioso de la indefensión de Cristo, un humilde portal. Allí, hasta el San José a veces vejado burlescamente en villancicos donde toman parte los gitanos se reviste de grandeza y dignidad: «San José, lleno de heridas / amortaja a una doncella». Todo será destruido en el absoluto saqueo. Hundidos los tejados tras el incendio de la ciudad, no queda ningún signo de vida: sólo un «túnel de silencio».

Elementos muy dispares han quedado trabados en este admirable «Romance de la Guardia Civil española». Pero lo que es en él dinamismo es casi extática representación en el «Martirio de Santa Olalla», dispuesto a manera de tríptico que culmina, como en un auto sacramental, con el triunfo de la Eucaristía. En todo el romance subyace una alegoría tipológica, parcialmente desarrollada, según la cual Olalla repite el suplicio de la cruz. El árbol de la Pasión está tácitamente nombrado; los viejos soldados romanos que «juegan o dormitan» son aquellos que se jugaron a los dados la túnica de Cristo («juegan a los dados» decía expresamente una variante suprimida del manuscrito) o los que, en tantas representaciones plásticas, dormitan al pie del sepulcro con la lanza entre las manos. Ambas acciones prefiguran la muerte y subida a la gloria de la mártir, que en la apoteosis final, como de Corpus Christi, aparece «blanca en lo blanco», blancura de virginidad –a la par que de la nieve que ha cubierto el cuerpo torturado– bajo el resplandor de la Custodia.

No deja de ser curioso el origen de los dos versos últimos: «Ángeles y serafines / dicen: Santo, Santo, Santo». Proceden, y agradezco el dato a Isabel García Lorca, de un poema piadoso que se rezaba en su casa los días de tormenta. La criada Dolores *la Colorina,* nodriza de Francisco García Lorca e inspiradora de tipos y expresiones en la obra de Federico, no se calmaba en su miedo hasta que doña Vicenta Lorca encendía el cabo de cirio que había sido usado en el monumento del Jueves Santo, al que Dolores atribuía facultades especialmente conjuradoras contra el mal de las tormentas. Una vez encendido en una habitación cerrada, rezaban lo siguiente, sólo en parte recordado:

> El trisagio que Isaías
> escribió con santo celo
> lo oyó cantar en el cielo
> a angélicas jerarquías.
> ....
> Repita nuestra voz cuanto
> ángeles y serafines,
> arcángeles y querubines
> dicen Santo, Santo, Santo.

Como puede notarse, dos de los versos del peculiar trisagio se han incorporado al romance con plena naturalidad; coexisten, en cultísima integración, con una imagen global que toma rasgos del mencionado monumento (los «vidrios de colores» imponen un interior iluminado por vidrieras) y de los cuadros barrocos que representan el triunfo de la Eucaristía, la Custodia irradiando como un sol en medio de ángeles y nubes. Si leemos la descripción que el propio poeta hace de la «Semana Santa en Granada», evocada desde el recuerdo de la niñez, nos penetra de forma más clara la fuente que alimenta la vasta y concretísima imaginación lorquiana:

«Entonces era una Semana Santa de encaje, de canarios volando entre los cirios de los monumentos, de aire tibio y melancólico [...] Entonces toda la ciudad era como un lento tiovivo que entraba y salía de las iglesias sorprendentes de belleza, con una fantasía gemela de las grutas de la muerte y las apoteosis del teatro. Había altares sembrados de trigo, altares con cascadas, otros con pobreza y ternura de tiro al blanco; uno, todo de cañas, como un celestial gallinero de fuegos artificiales, y otro, inmenso, con la cruel púrpura, el armiño y la suntuosidad de la poesía de Calderón» *(OC,* I, pág. 972). Difícil desentrañar, como en el «hecho poético puro», lo dado por la realidad y lo añadido por la imaginación, que no se desliga del suelo. Y la poesía de Calderón nos lleva de nuevo a los autos sacramentales, a la exaltación del Corpus, a la fascinación ante la cruel púrpura de la sangre y la blanca inocencia del armiño, en el centro el sacrificio arquetípico de Cristo, el Cordero. Tal vez ahora se aclare la imagen de los «ruiseñores en ramos», bordados acaso en un frontal de altar y suscitados en el romance por las previas «gargantas de arroyo», canto *cristalino* de ángeles o humanos en torno a la Olalla glorificada. Muy cerca se anunciaba ya la «Oda al Santísimo Sacramento».

Si el «Martirio de Santa Olalla» tiene una arquitectura dramática, aunque un mundo de representaciones esencialmente plásticas, parte del *Primer romancero* tiene mucho de esa ávida curiosidad infantil ante las figuras –lienzos o tallas– de los altares. No en vano García Lorca definirá su libro como «un retablo de Andalucía». El «San Miguel» granadino atraerá espontáneamente al «San Gabriel» sevillano, erguido como un junco y por ello «enemigo de los sauces» en el romance más alegre de todo el libro, aunque no falten, de acuerdo con una larga tradición poética, imágenes que anuncian la futura Pasión del niño recién concebido. De ahí, por ejemplo, las premonitorias siemprevivas que cierran el romance, las mismas cuyo sentido mortuorio, de creencia popular, aparece explícito en «Lo que dicen las flores», recitado de *Doña Rosita la Soltera*. Contra la amenaza de la crucifixión nada puede, por tanto, el arcángel «domador de palomillas», es decir, expresivo y feliz en sus dichos, pues «palomillas» es aquí metáfora de «palabras inspiradas» en virtud de espontánea asociación que nada tiene de irreverente y que el poeta utilizará de modo parecido en su epistolario. Al lado de esta Anunciación gitana ha de ponerse el romance «San Rafael», con la misma disposición bipartita, más una apoteosis o coda final, que el mencionado «San Gabriel», lo que apoya la hipótesis de unas fechas de escritura próximas.

Como en el viejo romance de Abenámar, no podían faltar en el *Primer romancero gitano* Córdoba y Sevilla, ciudades que el rey don Juan ofrece como preciadas arras y dote a Granada en su rechazada oferta de matrimonio. Acaso este recuerdo facilita la elección del poeta, pues ningún *a priori* exige, desde fuera del mundo lorquiano, la asociación de San Gabriel con Sevilla. Y, ya puestos sobre el *retablo* los arcángeles que simbolizan las mismas ciudades personificadas en el romance «Arbolé arbolé», García Lorca dispondrá los tres romances en el centro del libro.

Junto a la evocación de los dos últimos arcángeles, cabe situar cronológicamente la escritura del «Thamar y Amnón», uno de los romances más complejos y ricos de todo el libro. En febrero de 1927 el poeta debió revisar otro poema «sevillano», el «Romance con lagunas», no en balde elegido ex profeso para su publicación en *Mediodía,* la subtitulada *Revista de Sevilla.* Y escrito y publicado el año anterior «Prendimiento de Antoñito el Camborio», donde se trasluce una de las coplas del vito y el tema taurino origina una de las más brillantes imágenes del libro, es probablemente de fechas próximas al segundo romance sobre el mismo héroe: «Muerte de Antoñito el Camborio». Su relación con «Reyerta» es evidente, incluido el coro de ángeles que participan en la tragedia, aun que con funciones diferentes en cada una de las escenas. Sin embargo, las notas de humor del primer romance se han disuelto en algo mucho más leve en la reyerta familiar de la «Muerte de Antoñito el Camborio». Tan sólo se percibe, y muy levemente, en el diálogo que el héroe moribundo mantiene con su propio creador. Y es que este romance está alentado por un aire épico. A ello contribuye su conexión inicial («voces *antiguas*») con el romance tradicional del «Duque de Alba», citado por el poeta en su conferencia de tema granadino «Cómo canta una ciudad de noviembre a noviembre». Tampoco parece que sea ajena a su sentido dramático la misma rima aguda en -i, desusada en español y presente en algún romance antiguo de tema preferentemente dramático, como «La amiga de Bernal Francés» y «La bella malmaridada» (aunque admite también el reverso paródico).

Si creemos tajantemente al poeta, antes de agosto de 1927 estaban escritos los romances anteriormente citados, junto con «Muerto de amor» y «El emplazado», pues en dicho mes declara haber terminado su libro. Mientras tanto, ha publicado en Málaga *Canciones*, el único libro de los tres, con *Suites* y *Poema del cante jondo*, cuya impresión había proyectado para 1927 y que se salvará de las diferencias surgidas entre él y Emilio Prados. Como le reprochará Jorge Guillén en una carta, la culpa la tienen los manuscritos imposibles de Federico, pues tales son los originales que Prados le devuelve copiados a máquina junto con una «lacónica carta» (nada de lacónica) en la que le solicita la puesta en limpio del original. El poeta granadino, de todos modos, debió insistir en la publicación de *Canciones*, por no ser un libro de tema gitano, como el *Romancero* y parte del *Poema del cante jondo*, y por considerarlo superior a las *Suites*. Con el estreno de *Mariana Pineda*, y ya *Canciones* en la calle, podía ofrecer a lectores, amigos e «imitadores» el reverso «gitano» de la moneda, haciendo notar que no era éste la única cara de su inspiración. A fines de 1927 fragua la publicación del *Primer*

romancero gitano en Revista de Occidente, en el momento
en que García Lorca comenzaba a sentirse más distanciado
del libro, más crítico incluso, inmerso ya en otros proyectos,
entre ellos su libro de *Odas*.

Lo romano, lo cristiano, lo árabe, lo judío y lo gitano forman el cañamazo transhistórico en el que se dibuja el imaginario mapa lorquiano de lo andaluz en el *Romancero,* por
el que igualmente cruzan guardias civiles o contrabandistas. Nada tiene, pues, de extraño que en «Muerto de amor»
aparezcan unidos «serafines y gitanos» haciendo sonar
unos acordeones, o que la sábana que cubre el cuerpo
muerto del Emplazado sea de «duro acento romano», como
en un relieve funerario fijo por el mármol. Sin necesidad de
hacer historia, García Lorca padece el vivo sentimiento de
vivir sobre un suelo nutrido por muertos que pueden co-
brar voz. Y es el cante jondo de manera especial el que le
proporciona esta profundísima vivencia. De ahí que, hablando de la *siguiriya,* el «cante de los cantes», diga que es
«el grito de las generaciones muertas, la aguda elegía de los
siglos desaparecidos». Por eso asegura en la misma ocasión
sobre el cante jondo: «Viene de razas lejanas, atravesando el
desierto de los años y las frondas de los vientos marchitos».
Y en versión posterior de su juvenil conferencia sobre el
cante jondo, de donde proceden las dos citas anteriores,
añadirá lo siguiente: «Lo que no cabe duda es que la guitarra ha construido el cante jondo. Ha labrado, profundizado,
la oscura musa judía y árabe antiquísima, pero por eso bal-
buciente. La guitarra ha occidentalizado el cante y ha hecho
belleza sin par, y belleza positiva del drama andaluz, Oriente y Occidente en pugna, que hacen de Bética una isla de
cultura».
  La música, y expresamente las guitarras, no ha de faltar en
el *Romancero,* a veces en clara conexión con alguna de las

formas del cante, al que los gitanos han dado, según el poeta, forma definitiva. Ahora bien, si este arte expresa un sentimiento, es por encima de todo la pena, que García Lorca inmediatamente personifica: «La mujer, en el cante jondo, se llama Pena. [...] Es una mujer morena, que quiere cazar pájaros con redes de viento». Estamos ya en el umbral de uno de los primeros romances escritos por el poeta para su libro: «Romance de la pena negra». Dice una soleá, sin duda anterior a Manuel Machado:

> ¿Qué quieres tú que yo tenga?
> Que te busco y no te encuentro:
> ¡*m'ajoga* la pena negra![11]

Soledad Montoya, por tanto, no es más que una personificación de la pena, la cual expresa bajo un cielo nocturno una angustia de tan radical indefinible, «lucha de la inteligencia amorosa con el misterio que la rodea y no puede comprender». Misterio de Oriente e inteligencia de Occidente conforman, pues, la Pena, personaje que, al decir del poeta, rige todo su libro.

Pero volvamos al mismo terreno. Un martinete, con los martillos insistentes sonando sobre los yunques, define y recoge el trágico insomnio del Emplazado, que sabe que ha de morir. Asimismo, «las guitarras suenan solas» ante San Gabriel o, vueltas «sueño concreto y sin norte», narran con su solo sonido «lo que falta» en el desdibujado relato de la «Burla de Don Pedro». García Lorca, que pondría música propia a algunos de sus romances, parte siempre de la viva conciencia del romance tradicional cantado. Pero la máxima complejidad y riqueza de lo musical se muestra en «Thamar y Amnón». Sobre un fondo oriental de tierra calcinada por

11. Se recoge en *los cantos populares españoles*, sección «Celos, quejas y desavenencias», La Novela Corta, III, 105, Madrid, enero de 1918, s. p. «Pena negra» es, además, expresión hecha, dentro del mismo campo semántico de «tener la negra», «pasarlas negras», «día negro», «negra suerte», etc.

el sol, el poeta se adentra ahora en un tema bíblico y judío. La chispa debió partir inicialmente del romance tradicional del mismo asunto, oído tal vez en el Albaicín o en el Sacromonte. Con todo, no ha de olvidarse como posible «ejemplo» paralelo la presencia de temas bíblicos en algunas raras letras del cancionero andaluz, lo mismo que en el romancero tradicional. Valga la cita de esta hermosa copla de Alosno (Huelva):

> A Isabela en el baño
> la vio el rey *Dabí,*
> y se enamoró *d'eya*
> como yo de ti[12].

Cantos como éste legitiman, aparte otras razones, la fusión gitano-judía del romance, con la concreta presencia del coro de «vírgenes gitanas» que gritan en torno a la Thamar desflorada. El poeta parece escribir entonces bajo el recuerdo preciso de una boda gitana y del canto de la *alboreá,* de donde proceden la poetización de la recogida de las gotas de sangre y los blancos paños enrojecidos tras la consumación del incesto.

Por otro lado, «Thamar y Amnón» es la composición del libro donde más instrumentos musicales aparecen nombrados: panderos, cítaras, flautas y arpa, además del canto de la propia Thamar. Todo el romance se ofrece desde su comienzo estremecido de sonidos. Una luna inmensamente llena («luz maciza») preside un paisaje nocturno de denso verano. Sobre una tierra sin agua se cierne una tormenta de estío, con truenos lejanos y resplandor de relámpagos: «rumores de tigre y llama». Los rayos, convertidos en duros «nervios de metal», suenan sobre los techos de las casas, a cuyo interior llega el restallido. Se oyen también temerosos y apagados balidos que rizan el aire. La tierra, en fin, está ra-

---

12. Aparece citada por Antonio S. Urbaneja, *Cante, cantares y cantarcillos,* Fuengirola (Málaga),1979, pág. 67.

jada por las grietas de la sequía prolongada («heridas cicatrizadas»), en tanto que las «luces blancas» de la tormenta actúan como cauterios. Este encadenamiento de audaces y
condensadas metáforas define el ámbito de la acción del romance a modo de preludio: el escenario natural es un corre-
lato de las pasiones que van a entrar en juego.

Mas tal escenario exige sonidos secos, momentáneos, o
apagados, como en sordina sobre un fondo de silencio. De
ahí la insistencia (cuatro veces) en la palabra «rumor» o en
su plural. Junto a un soñado canto de pájaros, al que se añade la luna metaforizada en «panderos fríos» y las también
imaginadas cítaras, se mencionan los ya notados «rumores
de tigre y llama», el «rumor entre dientes» de un susurro o
palabras que Amnón deja escapar bajo la noche calurosa, el
mismo «rumor de rosa encerrada» de la sangre en las pequeñas yemas de los dedos de Thamar, los rumores últimos «de
tibia aurora» al despertar el día.

Otros sonidos más discernibles, algunos ya aludidos: balidos de oveja, el canto de Thamar, el de una cobra tendida
en musgo de troncos, relincho de caballos, ruido de lucha
con el entrechocar de unas espadas, gritos de las vírgenes gitanas, resonancia en la lejanía de los cascos del caballo en el
que huye el violador de su hermana. Tal acumulación de sonidos, frente a los que agua de las jarras resulta «oprimida» y
el silencio ya no mana sosegado, sino que «brota», se cierra
con una imagen que produce sorpresa:

> Y cuando los cuatro cascos
> eran cuatro resonancias,
> David con unas tijeras
> cortó las cuerdas del arpa.

Esta acción sella de manera brutalmente irónica lo que tácitamente está concebido como una gran pieza musical, sugi-
riéndose que es el propio rey David quien ha narrado al son

del arpa el romance[13]. Mas David, el rey cantor, corta con furor las cuerdas, como si quisiera dar a entender que, por amor a su primogénito Amnón, el canto no debe repetirse. Tal vez no sea casual que estos versos cierren el *Primer romancero gitano.*

A la hora de definir el cante jondo, sobre el que escribirá su libro poético en 1921, García Lorca habla de «rarísimo ejemplar de canto primitivo, el más viejo de toda Europa, donde la ruina histórica, el fragmento lírico comido por la arena, aparecen vivos como en la primera mañana de su vida» (*OC*, I, pág. 1026). Varios puntos de unión, de los que algunos han quedado señalados, ligan el *Romancero* lorquiano al *Poema del cante jondo.* No obstante, lo que ahora quiero señalar es la natural fusión para el poeta de versos procedentes del «canto primitivo» o de la canción tradicional y sus propios romances. Diría en una entrevista de 1933: «Las canciones son como personas. Viven, se perfeccionan, y algunas degeneran, se deshacen, hasta que sólo quedan esos palimpsestos llenos de lagunas y contrasentidos» (*OC*, II, pág. 1005). Lo dicho vale igual para canciones que para romances, pues ambos participan, en su sentir y experiencia de poeta y musicólogo, de ese mismo sentido de «ruina histórica», «fragmento lírico» carcomido, «palimpsesto» difícil de descifrar.

13. La sugestión musical se hace patente en el manuscrito que conocemos (F. G. L., *Autógrafos*, I, ed. R. Martínez Nadal, Oxford, 1975, pág. 180). En el segundo fragmento del romance en esta su versión provisional se puede leer (v. 15): «Thamar estaba cantando». El poeta tacha luego este verso, que mantendrá en posición posterior, y añade otros dos que, marcados por una interrogación, también desaparecerían: «Gusanos de luz escriben / las cuatro letras del Aria». Empezado el romance en el doblez de una hoja, escribe enfrente y a la misma altura de los citados versos: «David con unas tijeras / corta las cuerdas del arpa». Significativamente, son éstos los octosílabos que, cambiado el tiempo verbal, cerrarán el relato «cantado».

Mas las carencias no han restado belleza a esas ruinas; puede que al contrario. El fragmentarismo en versiones de algunos romances antiguos, que, según Menéndez Pidal, es uno de los máximos y no buscados logros estéticos de esas piezas poéticas, por ley y obra de la memoria colectiva, impregna de manera personalísima el *Primer romancero*. No es cierta la afirmación del sabio investigador, cuando hace un sumario recuento del éxito del romance en la poesía contemporánea, de que después de 1920 «García Lorca no volvió a intimar con la oscura y difícil tradición»[14]. Esta intimidad, por vía poética y musical, es de antes y de después. De ella deduce el poeta, al margen de otras fuentes, el presente ahistórico, en verdad mítico, en el que conviven por igual el rey David, unos centuriones romanos, el cónsul de los ingleses o unos contrabandistas de tabaco. Por otro lado, quiere fundir el romance narrativo con el lírico, algo que en la poesía española culta no se había conseguido en el grado de belleza y misterioso cálculo que en él alcanza. Subterráneamente el aludido fragmentarismo le prestaba un sólido apoyo. El desdibujamiento de la anécdota en el «Romance sonámbulo» o en «Muerto de amor», por citar sólo dos claros ejemplos, resulta un hallazgo novísimo, pero profundamente enraizado en la tradición. García Lorca escribe intencionadamente *palimpsestos* líricos, en los que es vano intentar saber con certeza absoluta «lo que pasa».

---

14. En *Romancero hispánico (Hispano-portugués, americano y sefardí). Teoría e historia,* t. II, Madrid, 1968, 2.ª ed., pág. 439. Previamente dejó escrito Menéndez Pidal: «Los héroes gitanescos enfrentados con los negros tricornios de la guardia civil, traen consigo el recuerdo deprimente de los romanzones execrados por Meléndez como consagrados a exaltar la vida airada y el denuedo del forajido (fuera exido) que vive fuera del concierto social». Añadiría líneas después: «Admiro como quien más el *Romancero gitano;* sólo lamento que el genio poético que lo inspira no avivase otros asuntos, porque los temas en la obra de arte no son cosa secundaria».

El arranque de esta actitud puede observarse más al descubierto en la «Burla de Don Pedro a caballo». Su primero y único título fue «Romance con lagunas», además de ser, de todos, el escrito en fecha más temprana. Que ésta fuera el día de los Santos Inocentes de 1921, según he indicado, parece estar relacionado con la burla poética que sufren el protagonista del poema y el lector. La metáfora lexicalizada de «laguna», en cuanto falta de versos o palabras en un texto determinado, está en parte vuelta a su origen no metafórico. El poeta rellena de agua, como de laguna real, los supuestos huecos del poema (que adquiere así una fingida tradicionalidad, García Lorca como simple copista o transmisor que ilustra y comenta los vacíos textuales) y esconde en los cañaverales a los testigos que podrían contar la historia completa. Ésta, como ciudad dormida al fondo del agua, no es otra cosa que «limo de voces perdidas». Llegado a este punto, el autor juega en el bisel que separa las dos acepciones de «laguna», a la que hace partícipe a la vez del significado real y del metafórico.

Uno de los componentes originarios de esta parcial «desmetaforización» acaso proceda de una ya observada presencia musical: la guitarra. En este instrumento el poeta descubre (véase «Las seis cuerdas», de *Poema del cante jondo)* un «negro aljibe», fuente que «hace llorar a los sueños», definidos como el «sollozo de las almas perdidas» que escapa de la redonda boca de madera. En el romance, los innominados «testigos que conocen lo que falta» aparecen yuxtapuestos al ya recordado «sueño concreto y sin norte» que la madera de la guitarra produce. Como en un sueño, no hay guía ni conocimiento del punto de llegada, a pesar de la concreción de las imágenes. Se ingresa en un ámbito de misterio, el mismo que tienen los «sonidos negros» de la conferencia sobre el duende, donde hablará, con metáfora recurrente, de «las raíces que se clavan en el limo que todos conocemos, que todos ignoramos». Por otra parte, la imagen del aljibe está próxima a la de laguna. Sin que necesariamente la haya originado, no deja de ser curiosa la repetida incidencia de «sueño» como palabra asociada a sonido de guitarra. En los dos casos las seis cuerdas tienen una oscura función narrativa, sean o no sus sonidos palabras ahogadas que se convierten en sollozo musical. El romance, pues, queda subsumido en las tres lagunas, así como éstas, podríamos decir, en el llanto de la guitarra. Y, así como el agua quieta tiene en la obra lorquiana conocidas connotaciones de muerte, el caballero del romance cabalga en una demanda que ya desde el principio sabemos que le conducirá al fracaso de su búsqueda.

De quien se trata, y al menos dos referencias en la prosa del poeta lo reafirman, es de Pedro I el Cruel, rey tan ligado a Sevilla por razones históricas, legendarias y literarias. Conocida es una décima de otro poeta contemporáneo, Jorge Guillén, quien no precisa de explicación alguna cuando escribe este título: «Jardín que fue de don Pedro». La descripción de dicho jardín nos evoca de inmediato el de los Reales Alcázares sevillanos[15]. Lorca deja también a la adivinación del lector el nombre de la «ciudad de oro», lejana en el camino, adonde se dirige el caballero. El «bosque de cedros», el olor que el aire lleva de «yerbaluisa y romero» parecen referidos al Alcázar y las calles sevillanas, pisadas la primera vez por el poeta en la Semana Santa de 1921, en compañía de su hermano Francisco y de Manuel de Falla[16]. El romancista tan sólo pregunta: «¿Es Be-

15. Guillén escribió su poema en Sevilla, 1934, según los datos que recoge José Manuel Blecua en su edición del segundo *Cántico* [1936], Barcelona, 1970, pág. 177. No excluyo otra alusión guilleniana: don Pedro (Salinas).
16. Cf. Trinidad Durán Medina, *F. G. L. y Sevilla,* Sevilla, 1974, pág. 18. J. M. Chacón y Calvo evoca su primer encuentro con el poeta en la Semana Santa sevillana de 1922 («Lorca, poeta tradicional», *Revista de Avance,* V, 45, La Habana, 15 de abril, 1930). El que Chacón y Calvo no mencione ni a Falla ni al hermano del poeta parece sugerir que se trata de un segundo viaje, no de una equivocación del escritor cubano.

lén?» La ciudad palestina es centro en los villancicos navideños de broma y alegría radiante, lo que consuena con la
visión que de Sevilla nos proporciona la obra lorquiana. La
prueba concluyente, de todos modos, viene dada por la
alusión que encierra el verso «por el camino llano», el cual
evoca inmediatamente la primera copla de unas sevillanas
que el poeta había recogido y que llegaría a adaptar para La
Barraca:

> Camino de Sevilla
> camino llano,
> se enamoró mi niña
> de un sevillano[17].

No obstante, otras son las fuentes que se entrecruzan en el
nacimiento del poema. Sin descartar la escena, en un romance viejo, del rey cazador junto a una laguna por los campos de Jerez, sin olvidar tampoco el difuminado eco de la
canción premonitoria de *El caballero de Olmedo*[18], ha de se-
ñalarse en la raíz la presencia de dos romancillos de la tradición oral, pertenecientes al cancionero infantil: «La muerte

17. L. Sáenz de la Calzada, ob. cit., pág. 64
18. Cf. *Romancero del rey don Pedro (1368-1800)*, introducción bibliográ-
fica de Antonio Pérez Gómez, Valencia, 1954, págs. 150-152. Michel
Gauthier («Essai d'explication du "Romance con lagunas, Burla de Don
Pedro a caballo"», *Les Langues Néo-Latines*, núm. 139, 1956, págs. 1-23)
señala la posible dependencia del antiguo romance, forzando la interpretación del de Lorca. Imposible me parece seguir la acreditada
interpretación simbólica y religiosa de Charles Marcilly, que identifica
don Pedro con la figura del apóstol san Pedro a partir de una premisa no
demostrada: *Essai d'interprétation de «La burla de Don Pedro a caballo»*,
París, 1957. En relación con *El caballero de Olmedo*, cf. Doris Margaret
Glasser, «La "Burla de Don Pedro a caballo" de Lorca», en *F. G. L.*, ed. Il-
defonso Manuel Gil, Madrid, 1973, págs. 199-210. Sobre la ambigüedad
de «laguna» en el romance lorquiano, cf. Allen Josephs y Juan Caballero,
ed. cit., pág. 292.

ocultada» y «Santa Elena». El héroe del primer romancillo se llama precisamente don Pedro:

> Ya viene don Pedro,
> de la guerra herido,
> y viene corriendo
> por ver a su hijo.

Muerto por sus heridas después de ver a su hijo recién nacido, la muerte se le oculta a su mujer, que está recién parida. Enterada al fin, la viuda se encierra en su sala («cierra sus ventanas, / corre sus cortinas») y, en algunas versiones, muere[19].

Admitida la sugestión primera de este relato sobre García Lorca –la venida de don Pedro, las ventanas que preguntan al viento por su llanto–, hemos de acudir al segundo romancillo. Que el poeta conocía la versión granadina («Estando Elenita / bordando corbatas, / la aguja de oro, / el dedal de plata, / pasó un caballero / pidiendo posada...») lo muestra el final del poema «Los ojos», perteneciente a la «Suite de los espejos», precisamente de 1921: «¡Guárdate del viajero, / Elenita que bordas / corbatas!» Por otra parte, al lado de la versión granadina ha de citarse una pontevedresa, recogida por Pedrell en su célebre *Cancionero* y perfectamente conocida por García Lorca, quien la aprovecharía para su escenificación en La Barraca de la *Égloga de Plácida y Victoriano,* de Juan del Encina:

> Estando cosendo
> n'a miña almohada,
> miña agulla d'ouro,
> meu dedal de prata,

19. Cito por Bonifacio Gil, *Cancionero infantil. Antología,* Madrid, 1974, págs. 115-116. Otra versión muy semejante es la recogida por Luis Santullano, *Romancero español,* Madrid, 1934, págs. 1384-1385.

> miña tixeiriña
> de folla de lata,
> pas'un cabaleiro,
> pidéume posada...[20]

Cabría añadir una segunda tirada:

> –Abrem'a portiña,
> cérram'o postigo,
> dam'o teu lenciño,
> ¡ay, meu ben!,
> que veño ferido.
> –Pois si ves ferido
> ves a mala hora,
> qu'as miñas portiñas,
> ¡ay, meu ben!,
> non s'abren agora.

Si aceptamos la hipotética fusión por parte de García Lorca de los dos romancillos gallegos, cuyos versos he yuxtapuesto[21], la versión resultante simplifica al máximo la trágica historia de santa Elena, que queda convertida en mero requerimiento de casa y cuidados por parte del caballero que llega

20. Felipe Pedrell, *Cancionero musical popular español*, t. I, 2.ª ed., Barcelona, s. a., pág. 29. Sobre su uso en La Barraca, cf. L. Sáenz de la Calzada, ob. cit., pág. 85. Agradezco a Isabel García Lorca y Laura de los Ríos los datos sobre la versión granadina. Pueden consultarse diversas versiones canarias en *La flor de la marañuela. Romancero general de las Islas Canarias,* ed. Diego Catalán, t. II, Madrid, 1969. Véase, por ejemplo, la núm. 261, pág. 214.

21. Sigo en esto a Federico de Onís y Emilio de Torre, quienes fundieron en uno los dos fragmentos de romance que Pedrell recoge en su citado t. I, núms. 33 y 47: *Canciones españolas (Spanish folk songs),* Nueva York, 1931, págs. 13-14. Dado el año de aparición de esta breve antología folclórica, cabe interpretar, como mera hipótesis, que la iniciativa de la yuxtaposición de los dos textos pudo ser sugerida por García Lorca. Al margen de esta posibilidad, ha de pensarse en el profundo conocimiento que tuvo el poeta del *Cancionero* de Pedrell.

herido (no se sabe de dónde ni por qué) ante la puerta de
una muchacha que está bordando. El pañuelo que solicita el
caballero, quien es rechazado sin conmiseración, no es probablemente para enjugar su llanto, sino para vendar o tapo-
nar sus heridas, que bien pudieran ser de origen amoroso.
García Lorca inviste al caballero de su versión de un llanto
oscuro, y le hace llegar a un lugar habitado («todas las ventanas») en busca «del pan y del beso».

La indeterminación de los hexasílabos gallegos persiste
en los lorquianos, tan desconocida, en uno y otro romance,
la causa real de heridas y llanto. No obstante, en el poema del
granadino el caballero monta un caballo «ágil» y «sin freno», caballo, pues, de pasión indomeñable que la razón –el
jinete– no puede regir, despeñándose en el fracaso. No es
otra la causa por la que el caballo, símbolo erótico y pasional
de antiquísimo abolengo, será encontrado muerto, califica-
do entonces como «sombrío», al igual que el llanto de su jinete[22]. *El rey don Pedro en Madrid,* comedia que los críticos
disputan entre Lope y Tirso, ofrece un motivo semejante en
torno a la montura del rey, si bien la coherencia del poeta
moderno es sólo suya. Y quizá es momento de recordar que
Pedro I, el rey cruel o justiciero, ha sido también conocido
históricamente como «el Enamorado». En una lista de títulos de romances que García Lorca escribe al margen del
borrador de su «Romance del emplazado» consignará, de
modo provisional, pero significativo, el de «Don Pedro enamorado».

En la «Burla» todo parece ocurrir en una especie de sueño
o semisueño, umbral de vida y muerte. Frente al color y aro-
mas que definen la ciudad por la que entra el caballero, éste,
en brusca ruptura, que los mismos versos marcan, «pasa por

---

22. Sobre el simbolismo tradicional de caballo y jinete, cf. Ángel Val-
buena Briones, «El emblema simbólico de la caída del caballo», en *Calderón y la comedia nueva,* Madrid, 1977, págs. 88-105.

arcos rotos». Quizá traída de monumentos arquitectónicos del Barroco, salta la imagen de estos arcos a la poesía y el teatro lorquianos. Su claro sentido fúnebre se percibe en *El público* y en *Poeta en Nueva York*. Por si hubiera dudas sobre el ignoto destino de don Pedro, las dos mujeres y un viejo que le salen al paso van al cementerio. No así don Pedro mismo, cuyo final poemático es otro. Mas ¿por qué «dos mujeres y un viejo», los cuales pareciera que están a la espera del jinete tras los arcos rotos? El resplandor de los «velones de plata» con que se iluminan les presta un carácter de sombrías apariciones. Luz de farol o de velones se derrama sobre los muertos que aparecen en el *Poema del cante jondo,* así como la asociación plata-muerte conoce abundantes ejemplos en la obra lorquiana. Admitido que el protagonista del «romance histórico» sea Pedro el Cruel, lo que confirma el final del oscuro relato, las dos mujeres han de ser la joven esposa del rey, Blanca de Borbón, y la amante de don Pedro, María de Padilla, muertas las dos en 1361, la una en Medina Sidonia y la segunda en Sevilla. El viejo parece encarnación en uno de varios personajes de leyenda, incluido el famosísimo zapatero, a quien Zorrilla hace de setenta años antes de que muera acuchillado al comienzo de la primera parte de *El zapatero y el rey*. Junto a él ha de situarse el clérigo que el rey había matado en un convento sevillano y que hará de Sombra agorera en la citada comedia áurea, *El rey don Pedro en Madrid*. Argumentos habría en favor de uno y otro, pudiéndoseles añadir nuevos personajes. Pero esto, además de llevarnos lejos, *rompería* la más poética ambigüedad con que el poeta ha ensombrecido voluntariamente a damas y anciano. Baste decir que, tanto en romances antiguos como en las abundantes comedias del Siglo de Oro en los que participa don Pedro, su figura aparece sometida por lo común a augurios y apariciones. Al lado de esto, y como bien entenderá Zorrilla, se nos retrata un hombre que no teme pasear solo y como simple caballero de a pie las calles nocturnas de Sevilla. De este modo el rey se prueba a sí mismo su valor de hombre, capaz de arrostrar cualquier peligro. De ahí también el magnífico hallazgo dramático y psicológico de la doble personalidad que se le atribuye, según la cual dirá «no» como rey en lo mismo que dice «sí» como don Pedro. En el primer caso juzga de acuerdo con su autoridad; en el segundo, por su simple valor de hombre guiado por el honor. El desdoblamiento se justifica porque don Pedro ha mostrado previamente una temeridad a toda prueba, capaz, como don Juan, de combatir si es preciso con los muertos. El repetido motivo del sí y del no, que Moreto retoma en *El valiente justiciero,* puede que resuene como un eco burlesco en los versos lorquianos: «Los chopos dicen: No. / Y el ruiseñor: Veremos». Sin embargo, chopos y ruiseñor de lo que dictaminan es del último paso del relato y, por consiguiente, del propio destino de don Pedro.

Las escenas del romance se vuelven aún más borrosas tras la segunda laguna. Muerto el caballo, un inmenso crepúsculo parece incendiar la ciudad con sus luces, mientras una luna quizá desvaída («unicornio de ausencia») se quiebra en el cristal del agua. Sabedor de una desgracia que nos es desconocida, acaso la muerte del rey, «un hombre va llorando / tierras adentro». Antes, una «voz secreta» ha hecho transmitir por el cielo el lamento («balaba») de lo acaecido. Mientras tanto, luce al norte la estrella del destino y al sur un marinero apresta tal vez su barco para un viaje: ¿el del rey ya muerto, doble el marinero de la imagen de Caronte?

García Lorca ha dispuesto sus figuras dentro de un relato y escenario incompletos, el rey justiciero convertido en rey en demanda de amor. La burla, al fin, halla cumplida forma en la visión del caballero jugando con las ranas, lo que representa, por alusión a la vieja fábula de Esopo, su máximo fracaso. En la versión de Samaniego, «Las ranas pidiendo rey», Júpiter, ante la denodada petición de los ruidosos animalillos, «arroja un Rey de palo a la laguna» en la que habitan. Tras el primer susto, las ranas pronto se recobran y empiezan a encaramarse al madero, al que han perdido todo temor. Don Pedro, pues, y de ahí el ¡ay! del poeta al fin de su poema, no es al término de su camino más que un rey de las ranas, todo su valor y lucha convertidos en trágica burla. Mas la perdición de don Pedro nace de una frustración y fracaso de índole amorosa, como si García Lorca quisiera mostrar tácitamente el poder destructor de la pasión, capaz de conducir a la muerte al rey más valiente. Con el mismo motivo, aun siendo otro el engarce, recogió el Arcipreste de Hita la citada fábula. Antes de entrar en ella, escribió: «Amor, quien más te sigue, quémasle cuerpo y alma; / destrúyeslo del todo, como el fuego a la rama».

Tal vez sea de interés una última observación: en ningún momento el poeta moderno nos dice que esté hablando de un rey, si no es, alusivamente, en el último momento de su «Burla». En el desdoblamiento barroco Lorca ha elegido al hombre que se buscaba y probaba a sí mismo, dando vida a uno de los dos don Pedro de la tradición, al que conduce a la muerte no por mano de don Enrique y el traidor Du Guesclin, sino vuelto simple, aunque mítico, mortal. Estamos ya muy lejos de Zorrilla y del Duque de Rivas. De sorpresa en sorpresa y laguna en laguna el jinete de sombría montura se ha transformado en burlado rey de palo, flotando finalmente «sobre la flor enfriada» de su pasión o de su vida como los suspiros en el «negro aljibe» de una guitarra de sollozos.

Que el poeta aludiera a la Pena como personaje dominante en su retablo romancístico halla aquí cabal confirmación. No se contradice esto con lo que declara sobre su libro en una entrevista de 1931: «Romances de varios personajes aparentes que tienen un solo personaje esencial: Granada». Lejana ya la escritura de su *Primer romancero gitano,* García Lorca estaba ahora definiendo su propia voz y su poesía, de indesmentible raíz elegíaca. Valga el claro contraste expuesto en el *Homenaje a Soto de Rojas* (1926): «Sevilla es el hom-

bre y el concepto sensual y sentimental. Es la intriga política
y el arco de triunfo. Don Pedro y don Juan. Está llena de elemento humano y su voz arranca lágrimas porque todos la en-
tienden. Granada es como la narración de lo que ya pasó en
Sevilla. Hay un vacío de cosa definitivamente acabada. Una
armonía de viejas emociones, que hay que sorprender cuando están dormidas para que no se escapen». Insistirá en la
misma interpretación cuando escribe su impar conferencia
sobre Granada, *Cómo canta una ciudad de noviembre a noviembre* (1933). Adscribirá entonces a Sevilla, «ciudad de
Don Juan, ciudad del amor, una expresión dramática», la
cual –añade– culmina en Lope, Tirso, Beaumarchais y la prosa de Bécquer. Es el dramatismo que, aparte otras implica-
ciones, se vuelca sobre personajes como el don Pedro
lorquiano, retomado de una tradición dramática, pero tras-
vasado a un plano «granadino». En el sentir del poeta, una
expresión lírica se adueña de Granada, «y si en Sevilla el elemento humano domina el paisaje y entre cuatro paredes se
pasean Don Pedro y Don Alonso y el Duque Octavio de Ná-
poles y Fígaro y Mañara, en Granada se pasean los fantas-
mas por sus dos palacios vacíos...» En la ya aludida prosa sobre la Semana Santa granadina (1936), García Lorca todavía
recomendará: «El que quiera estar en una tertulia de fantas-
mas [...] vaya a la interior, a la oculta Granada». Ni la ciudad
mítica que el poeta alumbró, ni su propia poesía, están a la
luz del mediodía, aunque ésta pueda refulgir en sus versos,
«limo de voces perdidas», deshechas y conformadas por el
tiempo, fuerza que convoca con igual virtud a lo más vivo y a
lo desaparecido y más remoto.

MARIO HERNÁNDEZ

1
Primer romancero gitano
(1924-1927)

1
Romance de la luna, luna

A Conchita García Lorca

La luna vino a la fragua
con su polisón de nardos.
El niño la mira, mira.
El niño la está mirando.
En el aire conmovido
mueve la luna sus brazos
y enseña, lúbrica y pura,
sus senos de duro estaño.
–Huye luna, luna, luna.
Si vinieran los gitanos,
harían con tu corazón
collares y anillos blancos.
–Niño, déjame que baile.
Cuando vengan los gitanos,
te encontrarán sobre el yunque
con los ojillos cerrados.
–Huye luna, luna, luna,
que ya siento sus caballos.

–Niño, déjame, no pises
mi blancor almidonado.

El jinete se acercaba
tocando el tambor del llano.
Dentro de la fragua el niño
tiene los ojos cerrados.
Por el olivar venían,
bronce y sueño, los gitanos.
Las cabezas levantadas
y los ojos entornados.

Cómo canta la zumaya,
¡ay, cómo canta en el árbol!
Por el cielo va la luna
con un niño de la mano.

Dentro de la fragua lloran,
dando gritos, los gitanos.
El aire la vela, vela.
El aire la está velando.

2
Preciosa y el aire

A Dámaso Alonso

Su luna de pergamino
Preciosa tocando viene,
por un anfibio sendero
de cristales y laureles.
El silencio sin estrellas,
huyendo del sonsonete,
cae donde el mar bate y canta
su noche llena de peces.
En los picos de la sierra
los carabineros duermen
guardando las blancas torres
donde viven los ingleses.
Y los gitanos del agua
levantan, por distraerse,
glorietas de caracolas
y ramas de pino verde.

*

Su luna de pergamino
Preciosa tocando viene.
Al verla se ha levantado
el viento, que nunca duerme.
San Cristobalón desnudo,
lleno de lenguas celestes,
mira a la niña tocando
una dulce gaita ausente.

–Niña, deja que levante
tu vestido para verte.
Abre en mis dedos antiguos
la rosa azul de tu vientre.

Preciosa tira el pandero
y corre sin detenerse.
El viento-hombrón la persigue
con una espada caliente.

Frunce su rumor el mar.
Los olivos palidecen.
Cantan las flautas de umbría
y el liso gong de la nieve.

¡Preciosa, corre, Preciosa,
que te coge el viento verde!
¡Preciosa, corre, Preciosa!
¡Míralo por dónde viene!

Sátiro de estrellas bajas
con sus lenguas relucientes.

*

Preciosa, llena de miedo,
entra en la casa que tiene,
más arriba de los pinos,
el cónsul de los ingleses.

Asustados por los gritos
tres carabineros vienen,
sus negras capas ceñidas
y los gorros en las sienes.

El inglés da a la gitana
un vaso de tibia leche,
y una copa de ginebra
que Preciosa no se bebe.

Y mientras cuenta, llorando,
su aventura a aquella gente,
en las tejas de pizarra
el viento, furioso, muerde.

Reyerta

A Rafael Méndez

En la mitad del barranco
las navajas de Albacete,
bellas de sangre contraria,
relucen como los peces.
Una dura luz de naipe
recorta en el agrio verde
caballos enfurecidos
y perfiles de jinetes.
En la copa de un olivo
lloran dos viejas mujeres.
El toro de la reyerta
se sube por las paredes.
Ángeles negros traían
pañuelos y agua de nieve.
Ángeles con grandes alas
de navajas de Albacete.
Juan Antonio el de Montilla
rueda muerto la pendiente,

su cuerpo lleno de lirios
y una granada en las sienes.
Ahora monta cruz de fuego
carretera de la muerte.

*

El juez, con guardia civil,
por los olivares viene.
Sangre resbalada gime
muda canción de serpiente.
Señores guardias civiles:
aquí pasó lo de siempre.
Han muerto cuatro romanos
y cinco cartagineses.

*

La tarde, loca de higueras
y de rumores calientes,
cae desmayada en los muslos
heridos de los jinetes.
Y ángeles negros volaban
por el aire de poniente.
Ángeles de largas trenzas
y corazones de aceite.

53

4
Romance sonámbulo

A Gloria Giner
y
A Fernando de los Ríos

Verde que te quiero verde.
Verde viento. Verdes ramas.
El barco sobre la mar
y el caballo en la montaña.
Con la sombra en la cintura,
ella sueña en su baranda,
verde carne, pelo verde,
con ojos de fría plata.
Verde que te quiero verde.
Bajo la luna gitana,
las cosas la están mirando
y ella no puede mirarlas.

*

Verde que te quiero verde.
Grandes estrellas de escarcha

vienen con el pez de sombra
que abre el camino del alba.
La higuera frota su viento
con la lija de sus ramas,
y el monte, gato garduño,
eriza sus pitas agrias.
Pero ¿quién vendrá? ¿Y por dónde?...
Ella sigue en su baranda,
verde carne, pelo verde,
soñando en la mar amarga.

*

   –Compadre, quiero cambiar
mi caballo por su casa,
mi montura por su espejo,
mi cuchillo por su manta.
Compadre, vengo sangrando,
desde los puertos de Cabra.
–Si yo pudiera, mocito,
este trato se cerraba.
Pero yo ya no soy yo,
ni mi casa es ya mi casa.
–Compadre, quiero morir
decentemente en mi cama.
De acero, si puede ser,
con las sábanas de holanda.
¿No ves la herida que tengo
desde el pecho a la garganta?

–Trescientas rosas morenas
lleva tu pechera blanca.
Tu sangre rezuma y huele
alrededor de tu faja.
Pero yo ya no soy yo,
ni mi casa es ya mi casa.
–Dejadme subir al menos
hasta las altas barandas,
¡dejadme subir!, dejadme
hasta las verdes barandas.
Barandales de la luna
por donde retumba el agua.

*

Ya suben los dos compadres
hacia las altas barandas.
Dejando un rastro de sangre.
Dejando un rastro de lágrimas.
Temblaban en los tejados
farolillos de hojalata.
Mil panderos de cristal
herían la madrugada.

*

Verde que te quiero verde,
verde viento, verdes ramas.
Los dos compadres subieron.
El largo viento dejaba

en la boca un raro gusto
de hiel, de menta y de albahaca.
—¡Compadre! ¿Dónde está, dime,
dónde está tu niña amarga?
—¡Cuántas veces te esperó!
¡Cuántas veces te esperara,
cara fresca, negro pelo,
en esta verde baranda!

*

Sobre el rostro del aljibe
se mecía la gitana.
Verde carne, pelo verde,
con ojos de fría plata.
Un carámbano de luna
la sostiene sobre el agua.
La noche se puso íntima
como una pequeña plaza.
Guardias civiles borrachos
en la puerta golpeaban.
Verde que te quiero verde.
Verde viento. Verdes ramas.
El barco sobre la mar.
Y el caballo en la montaña.

5
La monja gitana

A José Moreno Villa

Silencio de cal y mirto.
Malvas en las hierbas finas.
La monja borda alhelíes
sobre una tela pajiza.
Vuelan en la araña gris
siete pájaros del prisma.
La iglesia gruñe a lo lejos
como un oso panza arriba.
¡Qué bien borda! ¡Con qué gracia!
Sobre la tela pajiza,
ella quisiera bordar
flores de su fantasía.
¡Qué girasol! ¡Qué magnolia
de lentejuelas y cintas!
¡Qué azafranes y qué lunas,
en el mantel de la misa!
Cinco toronjas se endulzan
en la cercana cocina.

58

Las cinco llagas de Cristo
cortadas en Almería.
Por los ojos de la monja
galopan dos caballistas.
Un rumor último y sordo
le despega la camisa,
y al mirar nubes y montes
en las yertas lejanías,
se quiebra su corazón
de azúcar y yerbaluisa.
¡Oh, qué llanura empinada
con veinte soles arriba!
¡Qué ríos puestos de pie
vislumbra su fantasía!
Pero sigue con sus flores,
mientras que de pie, en la brisa,
la luz juega el ajedrez
alto de la celosía.

6
La casada infiel

A Lydia Cabrera y a su negrita

Y que yo me la llevé al río
creyendo que era mozuela,
pero tenía marido.

Fue la noche de Santiago
y casi por compromiso.
Se apagaron los faroles
y se encendieron los grillos.
En las últimas esquinas
toqué sus pechos dormidos,
y se me abrieron de pronto
como ramos de jacintos.
El almidón de su enagua
me sonaba en el oído,
como una pieza de seda
rasgada por diez cuchillos.

Sin luz de plata en sus copas
los árboles han crecido
y un horizonte de perros
ladra muy lejos del río.

*

Pasadas las zarzamoras,
los juncos y los espinos,
bajo su mata de pelo
hice un hoyo sobre el limo.
Yo me quité la corbata.
Ella se quitó el vestido.
Yo el cinturón con revólver.
Ella sus cuatro corpiños.
Ni nardos ni caracolas
tienen el cutis tan fino,
ni los cristales con luna
relumbran con ese brillo.
Sus muslos se me escapaban
como peces sorprendidos,
la mitad llenos de lumbre,
la mitad llenos de frío.
Aquella noche corrí
el mejor de los caminos,
montado en potra de nácar
sin bridas y sin estribos.
No quiero decir, por hombre,
las cosas que ella me dijo.

La luz del entendimiento
me hace ser muy comedido.
Sucia de besos y arena
yo me la llevé del río.
Con el aire se batían
las espadas de los lirios.

    Me porté como quien soy.
Como un gitano legítimo.
Le regalé un costurero
grande, de raso pajizo,
y no quise enamorarme
porque, teniendo marido,
me dijo que era mozuela
cuando la llevaba al río.

7
Romance de la pena negra

A José Navarro Pardo

Las piquetas de los gallos
cavan buscando la aurora,
cuando por el monte oscuro
baja Soledad Montoya.
Cobre amarillo, su carne
huele a caballo y a sombra.
Yunques ahumados, sus pechos
gimen canciones redondas.
–Soledad: ¿por quién preguntas
sin compaña y a estas horas?
–Pregunte por quien pregunte,
dime: ¿a ti qué se te importa?
Vengo a buscar lo que busco,
mi alegría y mi persona.
–Soledad de mis pesares,
caballo que se desboca,
al fin encuentra la mar
y se lo tragan las olas.

–No me recuerdes el mar
que la pena negra, brota
en las tierras de aceituna
bajo el rumor de las hojas.
–¡Soledad, qué pena tienes!
¡Qué pena tan lastimosa!
Lloras zumo de limón
agrio de espera y de boca.
–¡Qué pena tan grande! Corro
mi casa como una loca,
mis dos trenzas por el suelo
de la cocina a la alcoba.
¡Qué pena! Me estoy poniendo
de azabache, carne y ropa.
¡Ay, mis camisas de hilo!
¡Ay, mis muslos de amapola!
–Soledad: lava tu cuerpo
con agua de las alondras,
y deja tu corazón
en paz, Soledad Montoya.

*

Por abajo canta el río:
volante de cielo y hojas.
Con flores de calabaza
la nueva luz se corona.
¡Oh pena de los gitanos!
Pena limpia y siempre sola.
¡Oh pena de cauce oculto
y madrugada remota!

64

8
San Miguel
(Granada)

A Diego Buigas de Dalmáu

SAN MIGUEL

Se ven desde las barandas,
por el monte, monte, monte,
mulos y sombras de mulos
cargados de girasoles.

Sus ojos en las umbrías
se empañan de inmensa noche.
En los recodos del aire
cruje la aurora salobre.

Un cielo de mulos blancos
cierra sus ojos de azogue,
dando a la quieta penumbra
un final de corazones.

Y el agua se pone fría
para que nadie la toque.
Agua loca y descubierta
por el monte, monte, monte.

*

San Miguel, lleno de encajes
en la alcoba de su torre,
enseña sus bellos muslos
ceñidos por los faroles.

Arcángel domesticado
en el gesto de las doce,
finge una cólera dulce
de plumas y ruiseñores.
San Miguel canta en los vidrios,
Efebo de tres mil noches,
fragante de agua colonia
y lejano de las flores.

*

El mar baila por la playa
un poema de balcones.
Las orillas de la luna
pierden juncos, ganan voces.
Vienen manolas comiendo
semillas de girasoles,
los culos grandes y ocultos
como planetas de cobre.

Vienen altos caballeros
y damas de triste porte,
morenas por la nostalgia
de un ayer de ruiseñores.
Y el obispo de Manila,
ciego de azafrán y pobre,
dice misa con dos filos
para mujeres y hombres.

*

San Miguel se estaba quieto
en la alcoba de su torre,
con las enaguas cuajadas
de espejitos y entredoses.

San Miguel, rey de los globos
y de los números nones,
en el primor berberisco
de gritos y miradores.

9

San Rafael
(Córdoba)

A Juan Izquierdo Croselles

SAN RAFAEL

Coches cerrados llegaban
a las orillas de juncos
donde las ondas alisan
romano torso desnudo.
Coches, que el Guadalquivir
tiende en su cristal maduro,
entre láminas de flores
y resonancias de nublos.
Los niños tejen y cantan
el desengaño del mundo
cerca de los viejos coches
perdidos en el nocturno.
Pero Córdoba no tiembla
bajo el misterio confuso,

pues si la sombra levanta
la arquitectura del humo,
un pie de mármol afirma
su casto fulgor enjuto.
Pétalos de lata débil
recaman los grises puros
de la brisa, desplegada
sobre los arcos de triunfo.
Y mientras el puente sopla
diez rumores de Neptuno,
vendedores de tabaco
huyen por el roto muro.

II

Un solo pez en el agua
que a las dos Córdobas junta.
Blanda Córdoba de juncos.
Córdoba de arquitectura.
Niños de cara impasible
en la orilla se desnudan,
aprendices de Tobías
y Merlines de cintura,
para fastidiar al pez
en irónica pregunta
si quiere flores de vino
o saltos de media luna.

Pero el pez que dora el agua
y los mármoles enluta,
les da lección y equilibrio
de solitaria columna.
El Arcángel aljamiado
de lentejuelas oscuras,
en el mitin de las ondas
buscaba rumor y cuna.

*

Un solo pez en el agua.
Dos Córdobas de hermosura.
Córdoba quebrada en chorros.
Celeste Córdoba enjuta.

10

San Gabriel
(Sevilla)

A D. Agustín Viñuales

SAN GABRIEL

Un bello niño de junco,
anchos hombros, fino talle,
piel de nocturna manzana,
boca triste y ojos grandes,
nervio de plata caliente,
ronda la desierta calle.
Sus zapatos de charol
rompen las dalias del aire,
con los dos ritmos que cantan
breves lutos celestiales.
En la ribera del mar
no hay palma que se le iguale,
ni emperador coronado,
ni lucero caminante.

Cuando la cabeza inclina
sobre su pecho de jaspe,
la noche busca llanuras
porque quiere arrodillarse.
Las guitarras suenan solas
para San Gabriel Arcángel,
domador de palomillas
y enemigo de los sauces.
–San Gabriel: el niño llora
en el vientre de su madre.
No olvides que los gitanos
te regalaron el traje.

II

Anunciación de los Reyes,
bien lunada y mal vestida,
abre la puerta al lucero
que por la calle venía.
El Arcángel San Gabriel,
entre azucena y sonrisa,
biznieto de la Giralda,
se acercaba de visita.
En su chaleco bordado
grillos ocultos palpitan.
Las estrellas de la noche,
se volvieron campanillas.

–San Gabriel: aquí me tienes
con tres clavos de alegría.
Tu fulgor abre jazmines
sobre mi cara encendida.
–Dios te salve, Anunciación.
Morena de maravilla.
Tendrás un niño más bello
que los tallos de la brisa.
–¡Ay, San Gabriel de mis ojos!
¡Gabrielillo de mi vida!
Para sentarte yo sueño
un sillón de clavellinas.
–Dios te salve, Anunciación,
bien lunada y mal vestida.
Tu niño tendrá en el pecho
un lunar y tres heridas.
–¡Ay, San Gabriel que reluces!
¡Gabrielillo de mi vida!
En el fondo de mis pechos
ya nace la leche tibia.
–Dios te salve, Anunciación.
Madre de cien dinastías.
Áridos lucen tus ojos
paisajes de caballista.

*

El niño canta en el seno
de Anunciación sorprendida.
Tres balas de almendra verde
tiemblan en su vocecita.

Ya San Gabriel en el aire
por una escala subía.
Las estrellas de la noche
se volvieron siemprevivas.

11
Prendimiento de Antoñito el Camborio en el camino de Sevilla

A Margarita Xirgu

Antonio Torres Heredia,
hijo y nieto de Camborios,
con una vara de mimbre
va a Sevilla a ver los toros.
Moreno de verde luna,
anda despacio y garboso.
Sus empavonados bucles
le brillan entre los ojos.
A la mitad del camino
cortó limones redondos,
y los fue tirando al agua
hasta que la puso de oro.
Y a la mitad del camino,
bajo las ramas de un olmo,
Guardia Civil caminera
lo llevó codo con codo.

*

El día se va despacio,
la tarde colgada a un hombro,
dando una larga torera
sobre el mar y los arroyos.
Las aceitunas aguardan
la noche de Capricornio,
y una corta brisa ecuestre
salta los montes de plomo.
Antonio Torres Heredia,
hijo y nieto de Camborios,
viene sin vara de mimbre
entre los cinco tricornios.

–Antonio, ¿quién eres tú?
Si te llamaras Camborio,
hubieras hecho una fuente
de sangre con cinco chorros.
Ni tú eres hijo de nadie,
ni legítimo Camborio.
¡Se acabaron los gitanos
que iban por el monte solos!
Están los viejos cuchillos
tiritando bajo el polvo.

*

A las nueve de la noche
lo llevan al calabozo,
mientras los guardias civiles
beben limonada todos.

Y a las nueve de la noche
le cierran el calabozo,
mientras el cielo reluce
como la grupa de un potro.

12

Muerte de Antoñito el Camborio

A José Antonio Rubio Sacristán

Voces de muerte sonaron
cerca del Guadalquivir.
Voces antiguas que cercan
voz de clavel varonil.
Les clavó sobre las botas
mordiscos de jabalí.
En la lucha daba saltos
jabonados de delfín.
Bañó con sangre enemiga
su corbata carmesí,
pero eran cuatro puñales
y tuvo que sucumbir.
Cuando las estrellas clavan
rejones al agua gris,
cuando los erales sueñan
verónicas de alhelí,

voces de muerte sonaron
cerca del Guadalquivir.

*

–Antonio Torres Heredia,
Camborio de dura crin,
moreno de verde luna,
voz de clavel varonil:
¿quién te ha quitado la vida
cerca del Guadalquivir?
–Mis cuatro primos Heredias,
hijos de Benamejí.
Lo que en otros no envidiaban,
ya lo envidiaban en mí.
Zapatos color corinto,
medallones de marfil,
y este cutis amasado
con aceituna y jazmín.
–¡Ay, Antoñito el Camborio,
digno de una Emperatriz!
Acuérdate de la Virgen
porque te vas a morir.
–¡Ay, Federico García,
llama a la Guardia Civil!
Ya mi talle se ha quebrado
como caña de maíz.

*

Tres golpes de sangre tuvo,
y se murió de perfil.
Viva moneda que nunca
se volverá a repetir.
Un ángel marchoso pone
su cabeza en un cojín.
Otros de rubor cansado,
encendieron un candil.
Y cuando los cuatro primos
llegan a Benamejí,
voces de muerte cesaron
cerca del Guadalquivir.

13

Muerto de amor

–¿Qué es aquello que reluce
por los altos corredores?
–Cierra la puerta, hijo mío,
acaban de dar las once.
–En mis ojos, sin querer,
relumbran cuatro faroles.
–Será que la gente aquella
estará fregando el cobre.

*

Ajo de agónica plata
la luna menguante, pone
cabelleras amarillas
a las amarillas torres.
La noche llama temblando
al cristal de los balcones

perseguida por los mil
perros que no la conocen,
y un olor de vino y ámbar
viene de los corredores.

*

Brisas de caña mojada
y rumor de viejas voces
resonaban por el arco
roto de la media noche.
Bueyes y rosas dormían.
Sólo por los corredores
las cuatro luces clamaban
con el furor de San Jorge.
Tristes mujeres del valle
bajaban su sangre de hombre,
tranquila de flor cortada
y amarga de muslo joven.
Viejas mujeres del río
lloraban al pie del monte,
un minuto intransitable
de cabelleras y nombres.
Fachadas de cal ponían
cuadrada y blanca la noche.
Serafines y gitanos
tocaban acordeones.
—Madre, cuando yo me muera
que se enteren los señores.

Pon telegramas azules
que vayan del Sur al Norte.

Siete gritos, siete sangres,
siete adormideras dobles
quebraron opacas lunas
en los oscuros salones.
Lleno de manos cortadas
y coronitas de flores,
el mar de los juramentos
resonaba, no sé dónde.
Y el cielo daba portazos
al brusco rumor del bosque,
mientras clamaban las luces
en los altos corredores.

14
El emplazado

Para Emilio Aladrén

¡Mi soledad sin descanso!
Ojos chicos de mi cuerpo
y grandes de mi caballo,
no se cierran por la noche
ni miran al otro lado
donde se aleja tranquilo
un sueño de trece barcos.
Sino que limpios y duros
escuderos desvelados,
mis ojos miran un norte
de metales y peñascos
donde mi cuerpo sin venas
consulta naipes helados.

*

Los densos bueyes del agua
embisten a los muchachos

que se bañan en las lunas
de sus cuernos ondulados.
Y los martillos cantaban
sobre los yunques sonámbulos
el insomnio del jinete
y el insomnio del caballo.

*

El veinticinco de junio
le dijeron a el Amargo:
–Ya puedes cortar, si gustas,
las adelfas de tu patio.
Pinta una cruz en la puerta
y pon tu nombre debajo,
porque cicutas y ortigas
nacerán en tu costado,
y agujas de cal mojada
te morderán los zapatos.
Será de noche, en lo oscuro,
por los montes imantados
donde los bueyes del agua
beben los juncos soñando.
Pide luces y campanas.
Aprende a cruzar las manos,
y gusta los aires fríos
de metales y peñascos.
Porque dentro de dos meses
yacerás amortajado.

*

Espadón de nebulosa
mueve en el aire Santiago.
Grave silencio, de espalda,
manaba el cielo combado.

*

El veinticinco de junio
abrió sus ojos Amargo,
y el veinticinco de agosto
se tendió para cerrarlos.
Hombres bajaban la calle
para ver al emplazado,
que fijaba sobre el muro
su soledad con descanso.
Y la sábana impecable,
de duro acento romano,
daba equilibrio a la muerte
con las rectas de sus paños.

15

Romance de la Guardia Civil española

A Juan Guerrero.
Cónsul general de la poesía

Los caballos negros son.
Las herraduras son negras.
Sobre las capas relucen
manchas de tinta y de cera.
Tienen, por eso no lloran,
de plomo las calaveras.
Con el alma de charol
vienen por la carretera.
Jorobados y nocturnos,
por donde animan ordenan
silencios de goma oscura
y miedos de fina arena.
Pasan, si quieren pasar,
y ocultan en la cabeza
una vaga astronomía
de pistolas inconcretas.

*

¡Oh ciudad de los gitanos!
En las esquinas banderas.
La luna y la calabaza
con las guindas en conserva.
¡Oh ciudad de los gitanos!
¿Quién te vio y no te recuerda?
Ciudad de dolor y almizcle,
con las torres de canela.

*

Cuando llegaba la noche,
noche que noche nochera,
los gitanos en sus fraguas
forjaban soles y flechas.
Un caballo malherido
llamaba a todas las puertas.
Gallos de vidrio cantaban
por Jerez de la Frontera.
El viento vuelve desnudo
la esquina de la sorpresa,
en la noche platinoche,
noche que noche nochera.

*

La Virgen y San José
perdieron sus castañuelas,
y buscan a los gitanos
para ver si las encuentran.

La Virgen viene vestida
con un traje de alcaldesa
de papel de chocolate
con los collares de almendras.
San José mueve los brazos
bajo una capa de seda.
Detrás va Pedro Domecq
con tres sultanes de Persia.
La media luna soñaba
un éxtasis de cigüeña.
Estandartes y faroles
invaden las azoteas.
Por los espejos sollozan
bailarinas sin caderas.
Agua y sombra, sombra y agua
por Jerez de la Frontera.

*

¡Oh ciudad de los gitanos!
En las esquinas banderas.
Apaga tus verdes luces
que viene la benemérita.
¡Oh ciudad de los gitanos!
¿Quién te vio y no te recuerda?
Dejadla lejos del mar
sin peines para sus crenchas.

*

Avanzan de dos en fondo
a la ciudad de la fiesta.
Un rumor de siemprevivas,
invade las cartucheras.
Avanzan de dos en fondo.
Doble nocturno de tela.
El cielo, se les antoja,
una vitrina de espuelas.

*

La ciudad, libre de miedo,
multiplicaba sus puertas.
Cuarenta guardias civiles
entran a saco por ellas.
Los relojes se pararon,
y el coñac de las botellas
se disfrazó de noviembre
para no infundir sospechas.
Un vuelo de gritos largos
se levantó en las veletas.
Los sables cortan las brisas
que los cascos atropellan.
Por las calles de penumbra
huyen las gitanas viejas
con los caballos dormidos
y las orzas de monedas.
Por las calles empinadas
suben las capas siniestras,

dejando detrás fugaces
remolinos de tijeras.

En el Portal de Belén
los gitanos se congregan.
San José, lleno de heridas,
amortaja a una doncella.
Tercos fusiles agudos
por toda la noche suenan.
La Virgen cura a los niños
con salivilla de estrella.
Pero la Guardia Civil
avanza sembrando hogueras,
donde joven y desnuda
la imaginación se quema.
Rosa la de los Camborios,
gime sentada en su puerta
con sus dos pechos cortados
puestos en una bandeja.
Y otras muchachas corrían
perseguidas por sus trenzas,
en un aire donde estallan
rosas de pólvora negra.
Cuando todos los tejados
eran surcos en la tierra,
el alba meció sus hombros
en largo perfil de piedra.

*

¡Oh ciudad de los gitanos!
La Guardia Civil se aleja
por un túnel de silencio
mientras las llamas te cercan.

¡Oh ciudad de los gitanos!
¿Quién te vio y no te recuerda?
Que te busquen en mi frente.
Juego de luna y arena.

Tres romances históricos

16

Martirio de Santa Olalla

A Rafael Martínez Nadal

I

PANORAMA DE MÉRIDA

Por la calle brinca y corre
caballo de larga cola,
mientras juegan o dormitan
viejos soldados de Roma.
Medio monte de Minervas
abre sus brazos sin hojas.
Agua en vilo redoraba
las aristas de las rocas.
Noche de torsos yacentes
y estrellas de nariz rota,
aguarda grietas del alba
para derrumbarse toda.

De cuando en cuando sonaban
blasfemias de cresta roja.
Al gemir la santa niña,
quiebra el cristal de las copas.
La rueda afila cuchillos
y garfios de aguda comba:
brama el toro de los yunques,
y Mérida se corona
de nardos casi despiertos
y tallos de zarzamora.

II

EL MARTIRIO

Flora desnuda se sube
por escalerillas de agua.
El Cónsul pide bandeja
para los senos de Olalla.
Un chorro de venas verdes
le brota de la garganta.
Su sexo tiembla enredado
como un pájaro en las zarzas.
Por el suelo, ya sin norma,
brincan sus manos cortadas
que aún pueden cruzarse en tenue
oración decapitada.

Por los rojos agujeros
donde sus pechos estaban
se ven cielos diminutos
y arroyos de leche blanca.
Mil arbolillos de sangre
le cubren toda la espalda
y oponen húmedos troncos
al bisturí de las llamas.
Centuriones amarillos,
de carne gris, desvelada,
llegan al cielo sonando
sus armaduras de plata.
Y mientras vibra confusa
pasión de crines y espadas,
el Cónsul porta en bandeja
senos ahumados de Olalla.

III

INFIERNO Y GLORIA

Nieve ondulada reposa.
Olalla pende del árbol.
Su desnudo de carbón
tizna los aires helados.
Noche tirante reluce.
Olalla muerta en el árbol.

Tinteros de las ciudades
vuelcan la tinta despacio.
Negros maniquís de sastre
cubren la nieve del campo
en largas filas que gimen
su silencio mutilado.
Nieve partida comienza.
Olalla blanca en el árbol.
Escuadras de níquel juntan
los picos en su costado.

*

Una Custodia reluce
sobre los cielos quemados,
entre gargantas de arroyo
y ruiseñores en ramos.
¡Saltan vidrios de colores!
Olalla blanca en lo blanco.
Ángeles y serafines
dicen: Santo, Santo, Santo.

17
Burla de Don Pedro a caballo
Romance con lagunas

A Jean Cassou

Por una vereda
venía Don Pedro.
¡Ay, cómo lloraba
el caballero!
Montado en un ágil
caballo sin freno,
venía en la busca
del pan y del beso.
Todas las ventanas
preguntan al viento
por el llanto oscuro
del caballero.

PRIMERA LAGUNA

Bajo el agua
siguen las palabras.

Sobre el agua
una luna redonda
se baña,
dando envidia a la otra
¡tan alta!
En la orilla,
un niño,
ve las lunas y dice:
—¡Noche, toca los platillos!

SIGUE

A una ciudad lejana
ha llegado Don Pedro.
Una ciudad lejana
entre un bosque de cedros.
¿Es Belén? Por el aire
yerbaluisa y romero.
Brillan las azoteas
y las nubes. Don Pedro
pasa por arcos rotos.
Dos mujeres y un viejo
con velones de plata
le salen al encuentro.
Los chopos dicen: No.
Y el ruiseñor: Veremos.

Bajo el agua
siguen las palabras.
Sobre el peinado del agua
un círculo de pájaros y llamas.
Y por los cañaverales,
testigos que conocen lo que falta.
Sueño concreto y sin norte
de madera de guitarra.

SIGUE

Por el camino llano
dos mujeres y un viejo
con velones de plata
van al cementerio.
Entre los azafranes
han encontrado muerto
el sombrío caballo
de Don Pedro.
Voz secreta de tarde
balaba por el cielo.
Unicornio de ausencia
rompe en cristal su cuerno.

La gran ciudad lejana
está ardiendo
y un hombre va llorando
tierras adentro.
Al Norte hay una estrella.
Al Sur un marinero.

ÚLTIMA LAGUNA

Bajo el agua
están las palabras:
Limo de voces perdidas.
Sobre la flor enfriada,
está Don Pedro olvidado,
¡ay!, jugando con las ranas.

18
Thamar y Amnón

Para Alfonso García Valdecasas

La luna gira en el cielo
sobre las tierras sin agua
mientras el verano siembra
rumores de tigre y llama.
Por encima de los techos
nervios de metal sonaban.
Aire rizado venía
con los balidos de lana.
La tierra se ofrece llena
de heridas cicatrizadas,
o estremecida de agudos
cauterios de luces blancas.

*

Thamar estaba soñando
pájaros en su garganta,

103

al son de panderos fríos
y cítaras enlunadas.
Su desnudo en el alero,
agudo norte de palma,
pide copos a su vientre
y granizo a sus espaldas.
Thamar estaba cantando
desnuda por la terraza.
Alrededor de sus pies,
cinco palomas heladas.
Amnón, delgado y concreto,
en la torre la miraba,
llenas las ingles de espuma
y oscilaciones la barba.
Su desnudo iluminado
se tendía en la terraza,
con un rumor entre dientes
de flecha recién clavada.
Amnón estaba mirando
la luna redonda y baja,
y vio en la luna los pechos
durísimos de su hermana.

*

Amnón a las tres y media
se tendió sobre la cama.
Toda la alcoba sufría
con sus ojos llenos de alas.

La luz maciza sepulta
pueblos en la arena parda,
o descubre transitorio
coral de rosas y dalias.
Linfa de pozo oprimida
brota silencio en las jarras.
En el musgo de los troncos
la cobra tendida canta.
Amnón gime por la tela
fresquísima de la cama.
Yedra del escalofrío
cubre su carne quemada.
Thamar entró silenciosa
en la alcoba silenciada,
color de vena y Danubio,
turbia de huellas lejanas.
–Thamar, bórrame los ojos
con tu fija madrugada.
Mis hilos de sangre tejen
volantes sobre tu falda.
–Déjame tranquila, hermano.
Son tus besos en mi espalda
avispas y vientecillos
en doble enjambre de flautas.
–Thamar, en tus pechos altos
hay dos peces que me llaman
y en las yemas de tus dedos
rumor de rosa encerrada.

*

Los cien caballos del rey
en el patio relinchaban.
Sol en cubos resistía
la delgadez de la parra.
Ya la coge del cabello,
ya la camisa le rasga.
Corales tibios dibujan
arroyos en rubio mapa.

*

¡Oh, qué gritos se sentían
por encima de las casas!
Qué espesura de puñales
y túnicas desgarradas.
Por las escaleras tristes
esclavos suben y bajan.
Émbolos y muslos juegan
bajo las nubes paradas.
Alrededor de Thamar
gritan vírgenes gitanas
y otras recogen las gotas
de su flor martirizada.
Paños blancos enrojecen
en las alcobas cerradas.
Rumores de tibia aurora
pámpanos y peces cambian.

*

Violador enfurecido,
Amnón huye con su jaca.
Negros le dirigen flechas
en los muros y atalayas.
Y cuando los cuatro cascos
eran cuatro resonancias,
David con unas tijeras
cortó las cuerdas del arpa.

Tema de la voz Mudable.

Cuando se alza en la mañana.
roja como sangre está
El bronce no la toca
porque se tuvo quemar.

Abierta en el mediodía
es dura como el coral.
El sol se acerca los vidrios
para verla deslumbrar.

Cuando en las ramas empiezan
los pájaros a cantar
y se desmaya la tarde
En las violetas del mar,
se pone blanca, con blanca
de una mejilla de sal;
y cuando la noche toca,
blando cuerno de metal
y las estrellas avanzan
mientras los aires se van,
En la raya de lo oscuro
se comienza a deshojar.

Federico García Lorca

11
Romances del teatro
(1924-1935)

1
[Romance de la corrida de toros en Ronda]

En la corrida más grande
que se vio en Ronda la vieja.
Cinco toros de azabache
con divisa verde y negra.
Yo pensaba siempre en ti;
yo pensaba: Si estuviera
conmigo mi triste amiga,
¡mi Marianita Pineda!
Las niñas venían gritando
sobre pintadas calesas,
con abanicos redondos
bordados de lentejuelas.
Y los jóvenes de Ronda
sobre jacas pintureras,
los anchos sombreros grises

calados hasta las cejas.
La plaza con el gentío
(calañés y altas peinetas)
giraba como un zodiaco
de risas blancas y negras.
Y cuando el gran Cayetano
cruzó la pajiza arena
con traje color manzana,
bordado de plata y seda,
destacándose gallardo
entre la gente de brega
frente a los toros zaínos
que España cría en su tierra,
parecía que la tarde
se ponía más morena.
¡Si hubieran visto con qué
gracia movía las piernas!
¡Qué gran equilibrio el suyo
con la capa y la muleta!
¡Mejor, ni Pedro Romero
toreando las estrellas!
Cinco toros mató, cinco,
con divisa verde y negra.
En la punta de su espada
cinco flores dejó abiertas,
y a cada instante rozaba
los hocicos de las fieras,
como una gran mariposa
de oro con alas bermejas.

La plaza, al par que la tarde,
vibraba fuerte, violenta,
y entre el olor de la sangre
iba el olor de la sierra.

Mariana Pineda

2
Romancillo del bordado

Bendita sea por siempre
la Santísima Trinidad,
y guarde al hombre en la sierra
y al marinero en el mar.
A la verde, verde orilla
del olivarito está
una niña bordando.
¡Madre! ¿Qué bordará?
Las agujas de plata,
bastidor de cristal,
bordaba una bandera,
cantar que te cantar.
Por el olivo, olivo,
¡madre, quién lo dirá!,
venía un andaluz
mocito y galán.

«Niña, la bordadora,
mi vida, ¡no bordad!,
que el Duque de Lucena
duerme y dormirá.»
«No dices la verdad:
el Duque de Lucena
me ha mandado bordar
esta roja bandera
porque a la guerra va.»
«Por las calles de Córdoba
lo llevan a enterrar
muy vestido de fraile
en caja de coral.
La albahaca y los claveles
sobre la caja van,
y un verderol antiguo,
cantando el pío pa.»
«¡Ay, Duque de Lucena,
ya no te veré más!
La bandera que bordo
de nada servirá.
En el olivarito
me quedaré a mirar
cómo el aire menea
las hojas al pasar.»
«Adiós, niña bonita,
espigada y juncal,
me voy para Sevilla,
donde soy capitán.»

Y a la verde, verde orilla
del olivarito está
una niña morena,
llorar que te llorar.

Mariana Pineda

3
[Romance de la muerte de Torrijos]

Torrijos, el general
noble, de la frente limpia,
donde se estaban mirando
las gentes de Andalucía,
caballero entre los duques,
corazón de plata fina,
ha sido muerto en las playas
de Málaga la bravía.
Le atrajeron con engaños
que él creyó, por su desdicha,
y se acercó, satisfecho
con sus buques, a la orilla.
¡Malhaya el corazón noble
que de los malos se fía!,
que al poner el pie en la arena
le prendieron los realistas.
El vizconde de La Barthe,
que mandaba las milicias,
debió cortarse la mano
antes de tal villanía,

como es quitar a Torrijos
bella espada que ceñía,
con el puño de cristal,
adornado con dos cintas.
Muy de noche lo mataron
con toda su compañía.
Caballero entre los duques,
corazón de plata fina.
Grandes nubes se levantan
sobre la sierra de Mijas.
El viento mueve la mar
y los buques se retiran
con los remos presurosos
y las velas extendidas.
Entre el ruido de las olas
sonó la fusilería,
y muerto quedó en la arena,
sangrando por tres heridas,
el valiente caballero
con toda su compañía.
La muerte, con ser la muerte,
no deshojó su sonrisa.
Sobre los barcos lloraba
toda la marinería,
y las más bellas mujeres,
enlutadas y afligidas,
lo van llorando también
por el limonar arriba.

Mariana Pineda

4

[Serenata de Belisa]

Por las orillas del río
se está la noche mojando
y en los pechos de Belisa
se mueren de amor los ramos.

¡Se mueren de amor los ramos!

La noche canta desnuda
sobre los puentes de Marzo.
Belisa lava su cuerpo
con agua salobre y nardos.

¡Se mueren de amor los ramos!

La noche de anís y plata
relumbra por los tejados.

Plata de arroyos y espejos
y anís de sus muslos blancos.

¡Se mueren de amor los ramos!

Amor de Don Perlimplín con Belisa en su jardín

5

[Romance de la talabartera]

En un cortijo de Córdoba,
entre jarales y adelfas,
vivía un talabartero
con una talabartera.
Ella era mujer arisca;
él, hombre de gran paciencia;
ella giraba en los veinte
y él pasaba de cincuenta.
¡Santo Dios, cómo reñían!
Miren ustedes la fiera,
burlando al débil marido
con los ojos y la lengua.

*

Cabellos de emperadora
tiene la talabartera,

y una carne como el agua
cristalina de Lucena.
Cuando movía las faldas
en tiempos de Primavera
olía toda su ropa
a limón y a yerbabuena.
¡Ay, qué limón, limón
de la limonera!
¡Qué apetitosa
talabartera!

Ved cómo la cortejaban
mocitos de gran presencia
en caballos relucientes
llenos de borlas de seda.
Gente cabal y garbosa
que pasaba por la puerta
haciendo brillar adrede
las onzas de sus cadenas.
La conversación a todos
daba la talabartera
y ellos caracoleaban
sus jacas sobre las piedras.
Miradla hablando con uno,
bien peinada y bien compuesta,
mientras el pobre marido
clava en el cuero la lezna.
Esposo viejo y decente,
casado con joven tierna,

¡qué tunante caballista
roba tu amor en la puerta!

*

Un lunes por la mañana,
a eso de las once y media,
cuando el sol deja sin sombra
los juncos y madreselvas,
cuando alegremente bailan
brisa y tomillo en la sierra
y van cayendo las verdes
hojas de las madroñeras,
regaba sus alhelíes
la arisca talabartera.
Llegó su amigo trotando
una jaca cordobesa
y le dijo entre suspiros:
«Niña, si tú lo quisieras,
cenaríamos mañana
los dos solos en tu mesa».
«¿Y qué harás de mi marido?»
«Tu marido no se entera.»
«¿Qué piensas hacer?» «¡Matarlo!»
«Es ágil; quizá no puedas.
¿Tienes revólver?» «¡Mejor!
¡Tengo navaja barbera...!»
«¿Corta mucho?» «Más que el frío...
Y no tiene ni una mella.»
«¿No has mentido?» «Le daré

diez puñaladas certeras
en esta disposición,
que me parece estupenda:
cuatro en la región lumbar,
una en la tetilla izquierda,
otra en semejante sitio
y dos en cada cadera.»
«¿Lo matarás en seguida?»
«Esta noche, cuando vuelva
con el cuero y con las crines
por la curva de la acequia...»

La zapatera prodigiosa

6
[Romance del Arlequín]

El Sueño va sobre el Tiempo
flotando como un velero.
Nadie puede abrir semillas
en el corazón del Sueño.

¡Ay, cómo canta el alba! ¡Cómo canta!
¡Qué témpanos de hielo azul levanta!

El Tiempo va sobre el Sueño
hundido hasta los cabellos.
Ayer y mañana comen
oscuras flores de duelo.

¡Ay, cómo canta la noche! ¡Cómo canta!
¡Qué espesura de anémonas levanta!

Sobre la misma columna
abrazados Sueño y Tiempo,

cruza el gemido del niño,
la lengua rota del viejo.

¡Ay, cómo canta el alba! ¡Cómo canta!
¡Qué espesura de anémonas levanta!

Y si el Sueño finge muros
en la llanura del Tiempo,
el Tiempo le hace creer
que nace en aquel momento.

¡Ay, cómo canta la noche! ¡Cómo canta!
¡Qué témpanos de hielo azul levanta!

Así que pasen cinco años

7

[Nana del caballo]

Nana, niño, nana
del caballo grande
que no quiso el agua.
El agua era negra
dentro de las ramas.
Cuando llega al puente
se detiene y canta.
¿Quién dirá, mi niño,
lo que tiene el agua,
con su larga cola
por su verde sala?

Duérmete, clavel,
que el caballo no quiere beber.
Duérmete, rosal,
que el caballo se pone a llorar.

Las patas heridas,
las crines heladas,

dentro de los ojos
un puñal de plata.
Bajaban al río.
¡Ay, cómo bajaban!
La sangre corría
más fuerte que el agua.

Duérmete, clavel,
que el caballo no quiere beber.
Duérmete, rosal,
que el caballo se pone a llorar.

No quiso tocar
la orilla mojada,
su belfo caliente
con moscas de plata.
A los montes duros
sólo relinchaba
con el río muerto
sobre la garganta.
¡Ay, caballo grande
que no quiso el agua!
¡Ay, dolor de nieve,
caballo del alba!

¡No vengas! Detente,
cierra la ventana
con rama de sueños
y sueño de ramas.

Mi niño se duerme.
Mi niño se calla.
Caballo, mi niño
tiene una almohada.
Su cuna de acero.
Su colcha de holanda.
Nana, niño, nana.
¡Ay, caballo grande
que no quiso el agua!
¡No vengas, no entres!
Vete a la montaña.
Por los valles grises
donde está la jaca.
Mi niño se duerme.
Mi niño descansa.

Duérmete, clavel,
que el caballo no quiere beber.
Duérmete, rosal,
que el caballo se pone a llorar.

Bodas de sangre

8
[Romancillo en el que dos muchachas devanan una madeja roja]

Madeja, madeja,
¿qué quieres hacer?

Jazmín de vestido,
cristal de papel.
Nacer a las cuatro,
morir a las diez.
Ser hilo de lana,
cadena a tus pies
y nudo que apriete
amargo laurel.

Madeja, madeja,
¿qué quieres cantar?

Heridas de cera,
dolor de arrayán.

Dormir la mañana,
de noche velar.

El hilo tropieza
con el pedernal.
Los montes azules
lo dejan pasar.
Corre, corre, corre,
y al fin llegará
a poner cuchillo
y a quitar el pan.

Madeja, madeja,
¿qué quieres decir?

Amante sin habla.
Novio carmesí.
Por la orilla muda
tendidos los vi.
Corre, corre, corre
el hilo hasta aquí.
Cubiertos de barro
los siento venir.
¡Cuerpos estirados,
paños de marfil!

Bodas de sangre

9

[Canción del pastor solo]

¿Por qué duermes solo, pastor?
En mi colcha de lana
dormirías mejor.

Tu colcha de oscura piedra,
pastor,
y tu camisa de escarcha,
pastor,
juncos grises del invierno
en la noche de tu cama.
Los robles ponen agujas,
pastor,
debajo de tu almohada,
pastor,
y si oyes voz de mujer
es la rota voz del agua,
pastor, pastor.

¿Qué quiere el monte de ti,
pastor,
monte de hierbas amargas?
¿Qué niño te está matando?
¡La espina de la retama!

Yerma

10
[Danza de la esposa triste]

([...] Hay en la escena como un crescendo de voces con ruidos de cascabeles y collares de campanillos. [...] Crece el ruido y entran dos máscaras populares, una como macho y otra como hembra. Llevan grandes caretas. El MACHO empuña un cuerno de toro en la mano. No son grotescas de ningún modo, sino de gran belleza y con un sentido de pura tierra. La HEMBRA agita un collar de grandes cascabeles. [...] El fondo se llena de gente que grita y comenta la danza. Está muy anochecido.)

HEMBRA

En el río de la sierra
la esposa triste se bañaba.
Por el cuerpo le subían
los caracoles del agua.
La arena de las orillas
y el aire de la mañana

le daban fuego a su risa
y temblor a sus espaldas.
¡Ay, qué desnuda estaba
la doncella en el agua!

NIÑO

¡Ay, cómo se quejaba!

HOMBRE 1.º

¡Ay, marchita de amores!

NIÑO

¡Con el viento y el agua!

HOMBRE 2.º

¡Que diga a quién espera!

HOMBRE 1.º

¡Que diga a quién aguarda!

HOMBRE 2.º

¡Ay, con el vientre seco
y la color quebrada!

HEMBRA

> Cuando llegue la noche lo diré,
> cuando llegue la noche clara.
> Cuando llegue la noche de la romería,
> rasgaré los volantes de mi enagua.

NIÑO

> Y en seguida vino la noche.
> ¡Ay, que la noche llegaba!
> Mirad qué oscuro se pone
> el chorro de la montaña.

> *(Empiezan a sonar unas guitarras.)*

MACHO *(Se levanta y agita el cuerno.)*

> ¡Ay, qué blanca
> la triste casada!
> ¡Ay, cómo se queja entre las ramas!
> Amapola y clavel serás luego,
> cuando el macho despliegue su capa.
> *(Se acerca.)*
> Si tú vienes a la romería,
> a pedir que tu vientre se abra,
> no te pongas un velo de luto,
> sino dulce camisa de holanda.

Vete sola detrás de los muros
donde están las higueras cerradas
y soporta mi cuerpo de tierra
hasta el blanco gemido del alba.
¡Ay, cómo relumbra!
¡Ay, cómo relumbraba!
¡Ay, cómo se cimbrea la casada!

HEMBRA

    ¡Ay, que el amor le pone
coronas y guirnaldas,
y dardos de oro vivo
en su pecho se clavan!

MACHO

    Siete veces gemía,
nueve se levantaba;
quince veces juntaron
jazmines con naranjas.

HOMBRE 1.º

    ¡Dale ya con el cuerno!

HOMBRE 2.º

    Con la rosa y la danza.

HOMBRE 1.º

¡Ay, cómo se cimbrea la casada!

MACHO

En esta romería
el varón siempre manda.
Los maridos son toros,
el varón siempre manda,
y las romeras flores
para aquel que las gana.

NIÑO

Dale ya con el aire.

HOMBRE 2.º

Dale ya con la rama.

MACHO

Venid a ver la lumbre
de la que se bañaba.

HOMBRE 1.º

Como junco se curva.

NIÑO

> Y como flor se cansa.

HOMBRE 1.º

> ¡Que se aparten las niñas!

MACHO

> ¡Que se queme la danza!
> Y el cuerpo reluciente
> de la limpia casada.

Yerma

11
Tema de la rosa mudable

Cuando se abre en la mañana,
roja como sangre está.
El rocío no la toca
porque se teme quemar.

Abierta en el mediodía
es dura como el coral;
el sol se acerca a los vidrios
para verla relumbrar.

Cuando en las ramas empiezan
los pájaros a cantar
y se desmaya la tarde
en las violetas del mar,
se pone blanca con blanco
de una mejilla de sal.
Y cuando la noche toca
blando cuerno de metal

y las estrellas avanzan
mientras los aires se van,
en la raya de lo oscuro,
se comienza a deshojar.

Doña Rosita la Soltera o El lenguaje de las flores

12
[Romance de las tres manolas]

Granada, calle de Elvira,
donde viven las manolas,
las que se van a la Alhambra,
las tres y las cuatro solas.
Una vestida de verde,
otra de malva, y la otra,
un corselete escocés
con cintas hasta la cola.
Las que van delante, garzas,
la que va detrás, paloma,
abren por las alamedas
muselinas misteriosas.
¡Ay, qué oscura está la Alhambra!
¿Adónde irán las manolas
mientras sufren en la umbría
el surtidor y la rosa?
¿Qué galanes las esperan?
¿Bajo qué mirto reposan?

¿Qué manos roban perfumes
a sus dos flores redondas?
Nadie va con ellas, nadie;
dos garzas y una paloma.
Pero en el mundo hay galanes
que se tapan con las hojas.
La catedral ha dejado
bronces que la brisa toma.
El Genil duerme a sus bueyes
y el Dauro a sus mariposas.
La noche viene cargada
con sus colinas de sombra.
Una enseña los zapatos
entre volantes de blonda;
la mayor abre sus ojos
y la menor los entorna.
¿Quién serán aquellas tres
de alto pecho y larga cola?
¿Por qué agitan los pañuelos?
¿Adónde irán a estas horas?
Granada, calle de Elvira,
donde viven las manolas,
las que se van a la Alhambra,
las tres y las cuatro solas.

Doña Rosita la Soltera o El lenguaje de las flores

13
Lo que dicen las flores

Madre, llévame a los campos
con la luz de la mañana
a ver abrirse las flores
cuando se mecen las ramas.
Mil flores dicen mil cosas
para mil enamoradas,
y la fuente está contando
lo que el ruiseñor se calla.

Abierta estaba la rosa
con la luz de la mañana;
tan roja de sangre tierna,
que el rocío se alejaba;
tan caliente sobre el tallo,
que la brisa se quemaba;
¡tan alta!, ¡cómo reluce!
¡Abierta estaba!

«Sólo en ti pongo mis ojos»,
el heliotropo expresaba.
«No te querré mientras viva»,
dice la flor de la albahaca.
«Soy tímida», la violeta.
«Soy fría», la rosa blanca.
Dice el jazmín: «Seré fiel»;
y el clavel: «¡Apasionada!»

El jacinto es la amargura;
el dolor, la pasionaria.
El jaramago, el desprecio,
y los lirios, la esperanza.

Dice el nardo: «Soy tu amigo»;
«creo en ti», la pasionaria.
La madreselva te mece,
la siempreviva te mata.

Siempreviva de la muerte,
flor de las manos cruzadas,
¡qué bien estás cuando el aire
llora sobre tu guirnalda!

Abierta estaba la rosa,
pero la tarde llegaba,
y un rumor de nieve triste
le fue pasando las ramas;
cuando la sombra volvía,
cuando el ruiseñor cantaba,

como una muerta de pena
se puso transida y blanca;
y cuando la noche, grande
cuerno de metal sonaba
y los vientos enlazados
dormían en la montaña,
se deshojó suspirando
por los cristales del alba.

Sobre tu largo cabello
gimen las flores cortadas.
Unas llevan puñalitos;
otras, fuego, y otras, agua.

Las flores tienen su lengua
para las enamoradas.
Son celos el carambuco;
desdén esquivo, la dalia;
suspiros de amor, el nardo;
risa, la gala de Francia.
Las amarillas son odio;
el furor, las encarnadas;
las blancas son casamiento,
y las azules, mortaja.

Madre, llévame a los campos
con la luz de la mañana,
a ver abrirse las flores
cuando se mecen las ramas.

Doña Rosita la Soltera o El lenguaje de las flores

Apéndices

1. [Conferencia-recital del «Romancero gitano»]

No es un poeta que se ha hecho notar más o menos, o un dramaturgo incipiente, ansioso de gran teatro, el que está ante vosotros, sino un verdadero amigo, un camarada que recuerda todavía cercanos los años que vivía a golpes con la enorme cara bigotuda del Derecho Mercantil y llevando una vida de broma y jaleo para ocultar una verdadera y bienhechora melancolía.

Yo sé muy bien que eso que se llama conferencia sirve en las salas y teatros para llevar a los ojos de las personas esas puntas de alfiler donde se clavan. Las irresistibles anémonas de Morfeo y esos bostezos para los cuales se necesitaría tener boca de caimán.

Yo he observado que generalmente el conferenciante pone cátedra sin pretender acercarse a su auditorio, habla lo que sabe sin gastar nervio y con una ausencia absoluta de voluntad de amor, que origina ese odio profundo que se le toma momentáneamente y hace deseemos con ansia que resbale al salir de la tribuna o que estornude de modo tan furioso que se le caigan las gafas sobre el vaso.

Por eso, no vengo a dar una conferencia sobre temas que he estudiado y preparado, sino que vengo a comunicarme con vosotros con lo que nadie me ha enseñado, con lo que es sustancia y magia pura, con la poesía.

He elegido para leer con pequeños comentarios el *Romancero gitano*, no sólo por ser mi obra más popular, sino porque indudablemente es la que hasta ahora tiene más unidad, y es donde mi rostro poético aparece por vez primera con personalidad propia, virgen de contacto con otro poeta y definitivamente dibujado.

No voy a hacer crítica del libro, ni voy a decir, ni estudiar, lo que significa como forma de romance, ni a mostrar la mecánica de sus imágenes, ni el gráfico de su desarrollo rítmico y fonético, sino que voy a mostrar sus fuentes y los primeros atisbos de su concepción total.

El libro en conjunto, aunque se llame gitano, es el poema de Andalucía, y lo llamo gitano porque el gitano es lo más elevado, lo más profundo, más aristocrático de mi país, lo más representativo de su modo y el que guarda el ascua, la sangre y el alfabeto de la verdad andaluza y universal.

Así pues, el libro es un retablo de Andalucía con gitanos, caballos, arcángeles, planetas, con su brisa judía, con su brisa romana, con ríos, con crímenes, con la nota vulgar del contrabandista y la nota celeste de los niños desnudos de Córdoba que burlan a San Rafael. Un libro donde apenas si está expresada la Andalucía que se ve, pero donde está temblando la que no se ve. Y ahora lo voy a decir. Un libro antipintoresco, antifolklórico, antiflamenco, donde no hay ni una chaquetilla corta, ni un traje de torero, ni un sombrero plano, ni una pandereta; donde las figuras sirven a fondos milenarios y donde no hay más que un solo personaje, grande y oscuro como un cielo de estío, un solo personaje que es la Pena, que se filtra en el tuétano de los huesos y en la savia de los árboles, y que no tiene nada que ver con la melancolía, ni con la nostalgia, ni con ninguna otra aflicción o dolencia del ánimo; que es un sentimiento más celeste que terrestre; pena andaluza que es una lucha de la inteligencia amorosa con el misterio que la rodea y no puede comprender.

Pero un hecho poético, como un hecho criminal o un hecho jurídico, son tales hechos cuando viven en el mundo y son llevados y traídos; en suma, interpretados. Por eso no me quejo de la falsa visión andaluza que se tiene de este poema o causa de recitadores, sensuales de bajo tono o criaturas ignorantes. Creo que la pureza de su construcción y el noble tono con que me esforcé al crearlo lo defenderán de sus actuales amantes excesivos, que a veces lo llenan de baba.

Desde el año 1919, época de mis primeros pasos poéticos, estaba yo preocupado con la forma del romance, porque me daba cuenta que era el vaso donde mejor se amoldaba mi sensibilidad. El romance había permanecido estacionario desde los últimos exquisitos romancillos de Góngora, hasta que el Duque de Rivas lo hizo dulce, fluido, doméstico, o Zorrilla lo llenó de nenúfares, sombras y campanas sumergidas.

El romance típico había sido siempre una narración, y era lo narrativo lo que daba encanto a su fisonomía, porque cuando se hacía lírico, sin eco de anécdota, se convertía en canción. Yo quise fundir el romance narrativo con el lírico sin que perdieran ninguna calidad, y este esfuerzo se ve conseguido en algunos poemas del *Romancero,* como el llamado «Romance sonámbulo», donde hay una gran sensación de anécdota, un agudo ambiente dramático, y nadie sabe lo que pasa, ni aun yo, porque el misterio poético es también misterio para el poeta que lo comunica, pero que muchas veces lo ignora.

En realidad, la forma de mi romance la encontré –mejor, me la comunicaron –en los albores de mis primeros poemas, donde ya se notan los mismos elementos y un mecanismo similar al del *Romancero gitano.*

Ya el año veinte escribía yo este crepúsculo:

> El diamante de una estrella
> ha rayado el hondo cielo.
> Pájaro de luz que quiere
> escapar del firmamento
> y huye del enorme nido
> donde estaba prisionero.
> Sin saber que lleva atada
> una cadena en el cuello.
>
> Cazadores extrahumanos
> están cazando luceros,
> cisnes de plata maciza
> en el agua del silencio.
>
> Los chopos niños recitan
> la cartilla. Es el maestro
> un chopo antiguo que mueve
> tranquilos sus brazos viejos.
> ¡Rana, empieza tu cantar!
> ¡Grillo, sal de tu agujero!
> Haced un bosque sonoro
> con vuestras flautas. Yo vuelvo
> hacia mi casa intranquilo.
> Se agitan en mi recuerdo
> dos palomas campesinas
> y en el horizonte, lejos,
> se hunde el arcaduz del día.
> ¡Terrible noria del tiempo!

Esto, como forma, ya tiene el claroscuro del *Romancero* y el gusto de mezclar imágenes astronómicas con insectos y hechos vulgares, que son notas primarias de mi carácter poético.

Tengo cierto rubor de hablar de mí en público, pero lo hago porque os considero amigos, o ecuánimes oyentes, y porque sé que un poeta, cuando es poeta, es sencillo, y, cuando es sencillo, no puede caer jamás en el infierno cómico de la pedantería.

De un poema se puede estar hablando mucho tiempo analizando y observando sus aspectos múltiples. Yo os voy a presentar un plano de este mío y voy a comenzar la lectura de sus composiciones.

*

Desde los primeros versos se nota que el mito está mezclado con el elemento que pudiéramos llamar realista, aunque no lo es, puesto que al contacto con el plano mágico se torna aún más misterioso e indescifrable, como el alma misma de Andalucía, lucha y drama del veneno de Oriente del andaluz con la geometría y el equilibrio que impone lo romano, lo bético.

El libro empieza con dos mitos inventados: la luna como bailarina mortal y el viento como sátiro. Mito de la luna sobre tierras de danza dramática, Andalucía interior concentrada y religiosa, y mito de playa tartesa, donde el aire es suave como pelusa de melocotón y donde todo drama o danza está sostenido por una aguja inteligente de burla o de ironía.

«Luna, luna»
«Preciosa y el aire»

En el romance «Reyerta de mozos» está expresada esa lucha sorda, latente en Andalucía y toda España, de grupos que se atacan sin saber por qué, por causas misteriosas, por una mirada, por una rosa, porque un hombre de pronto siente un insecto sobre la mejilla, por un amor de hace dos siglos.

«Reyerta»

Después, aparece el «Romance sonámbulo», del que ya he hablado, uno de los más misteriosos del libro, interpretado por mucha gente como un romance que expresa el ansia de Granada por el mar, la angustia de una ciudad que no oye las olas y las busca en sus juegos de agua subterránea y en las nieblas onduladas con que cubre sus montes. Está bien. Es así, pero también es otra cosa. Es un hecho poético puro del fondo andaluz, y siempre tendrá luces cambiantes, aun para el hombre que lo ha comunicado, que soy yo. Si me preguntan ustedes por qué digo yo «Mil panderos de cristal herían la madrugada», les diré que los he visto en manos de ángeles y de árboles, pero no sabré decir más, ni mucho menos explicar su significado. Y está bien que sea así. El hombre se acerca por medio de la poesía con más rapidez al filo donde el filósofo y el matemático vuelven la espalda en silencio.

«Romance sonámbulo»

Después aparece en el libro el romance de «La casada infiel», gracioso de forma y de imagen, pero éste sí que es pura anécdota andaluza. Es popular hasta la desesperación y, como lo considero lo más primario, lo más halagador de sensualidades y lo menos andaluz, no lo leo.

*

En contraposición de la noche marchosa y ardiente de la casada infiel, noche de vega alta y junco en penumbra, aparece esta noche de Soledad Montoya, concreción de la Pena sin remedio, de la pena negra, de la cual no se puede salir más que abriendo con un cuchillo un ojal bien hondo en el costado siniestro.

La pena de Soledad Montoya es la raíz del pueblo andaluz. No es angustia, porque con pena se puede sonreír, ni es un dolor que ciega, puesto que jamás produce llanto; es un ansia sin objeto, es un amor agudo a nada con una seguridad de que la muerte (preocupación perenne de Andalucía) está respirando detrás de la puerta. Este poema tiene un antecedente en la canción del jinete que voy a decir, en la que a mí me parece ver a aquel prodigioso andaluz Omar ben Hafsún desterrado para siempre de su patria.

CANCIÓN DEL JINETE

[Córdoba.
Lejana y sola.

Jaca negra, luna grande,
y aceitunas en mi alforja.
Aunque sepa los caminos
yo nunca llegaré a Córdoba.

Por el llano, por el viento,
jaca negra, luna roja.
La muerte me está mirando
desde las torres de Córdoba.

¡Ay qué camino tan largo!
¡Ay mi jaca valerosa!
¡Ay que la muerte me espera
antes de llegar a Córdoba!

Córdoba.
Lejana y sola.]

«Romance de la pena negra»

En el poema irrumpen de pronto los arcángeles que expresan las tres grandes Andalucías: San Miguel, rey del aire que vuela sobre Granada, ciudad de torrentes y montañas;

San Rafael, arcángel peregrino que vive en la *Biblia* y en el *Korán,* quizás más amigo de musulmanes que de cristianos, que pesca en el río de Córdoba; San Gabriel Arcángel anunciador, padre de la propaganda, que planta sus azucenas en la torre de Sevilla. Son las tres Andalucías que están expresadas en esta canción:

ARBOLÉ

[Arbolé arbolé
seco y verdé.

La niña del bello rostro
está cogiendo aceituna.
El viento, galán de torres,
la prende por la cintura.
Pasaron cuatro jinetes
sobre jacas andaluzas,
con trajes de azul y verde,
con largas capas oscuras.
«Vente a Córdoba, muchacha.»
La niña no los escucha.
Pasaron tres torerillos
delgaditos de cintura,
con trajes color naranja
y espadas de plata antigua.
«Vente a Sevilla, muchacha.»
La niña no los escucha.
Cuando la tarde se puso
morada, con luz difusa,
pasó un joven que llevaba
rosas y mirtos de luna.
«Vente a Granada, muchacha.»
Y la niña no lo escucha.

> La niña del bello rostro
> sigue cogiendo aceituna
> con el brazo gris del viento
> ceñido por la cintura.
>
> Arbolé arbolé
> seco y verdé.]

Como no tengo tiempo de leer todo el libro, diré sólo «San Gabriel».

«San Gabriel»

Ahora aparece en el retablo uno de sus héroes más netos, Antoñito el Camborio, el único de todo el libro que me llama por mi nombre en el momento de su muerte. Gitano verdadero, incapaz del mal, como muchos que en estos momentos mueren de hambre por no vender su voz milenaria a los señores que no poseen más que dinero, que es tan poca cosa.

«Prendimiento»
«Muerte»

Pocas palabras voy a decir de esta fuerza andaluza centauro de muerte y de odio que es el Amargo.

Teniendo yo ocho años, y mientras jugaba en mi casa de Fuente Vaqueros, se asomó a la ventana un muchacho que a mí me pareció un gigante, y que me miró con un desprecio y un odio que nunca olvidaré, y escupió dentro al retirarse. A lo lejos una voz lo llamó: «¡Amargo, ven!»

Desde entonces el Amargo fue creciendo en mí hasta que pude descifrar por qué me miró de aquella manera, ángel de la muerte y la desesperanza que guarda las puertas de Andalucía. Esta figura es una obsesión en mi obra poética. Ahora ya no sé si la vi o se me apareció, si me lo imaginé o ha estado a punto de ahogarme con sus manos.

La primera vez que sale el Amargo es en el *Poema del cante jondo,* que yo escribí en 1921.

«Diálogo del Amargo»

Después en el *Romancero,* y últimamente en el final de mi tragedia *Bodas de sangre,* se llora también, no sé por qué, a esta figura enigmática.

(Si hay tiempo, lee la escena)

> Con un cuchillo,
> [con un cuchillito,
> en un día señalado, entre las dos y las tres,
> se mataron los dos hombres del amor.
> Con un cuchillo,
> con un cuchillito
> que apenas cabe en la mano,
> pero que penetra fino
> por las carnes asombradas,
> y que se para en el sitio
> donde tiembla enmarañada
> la oscura raíz del grito.]

Pero ¿qué ruido de cascos y de correas se escucha por Jaén y por la sierra de Almería? Es que viene la Guardia Civil. Este es el tema fuerte del libro y el más difícil por increíblemente antipoético. Sin embargo, no lo es.

«Romance Guardia Civil»

Para completar, voy a leer un romance de la Andalucía romana (Mérida es andaluza, como por otra parte lo es Tetuán), donde la forma, la imagen y el ritmo son apretados y justos como piedras para el tema.

«Santa Olalla»

Y ahora, el tema bíblico. Los gitanos, y en general el pueblo andaluz, cantan el Romance de Thamar y Amnón llamando a Thamar «Altas Mares». De Thamar, «Tamare»; de «Tamare», «Altamare», y de «Altamare» «Altas Mares», que es mucho más bonito.

Este poema es gitano-judío, como era Joselito, «el Gallo», y como son las gentes que pueblan los montes de Granada y algún pueblo del interior cordobés.

Y de forma y de intención es mucho más fuerte que los desplantes de «La casada infiel», pero tiene en cambio un acento poético más difícil, que lo pone a salvo de ese terrible ojo que guiña ante los actos inocentes y hermosos de la Naturaleza.

«Thamar y Amnón»

11. Itinerarios jóvenes de España:
Federico García Lorca

Hablo a Lorca por teléfono.
  –¿En qué año has nacido?
  –En 1899, 5 de junio*.
  –¿Dónde?
  –En Fuente Vaqueros, Granada.
  –¿Cómo se llaman tus padres?
  –Federico García Rodríguez y Vicenta Lorca.
  –¿De dónde son?
  –Andaluces, granadinos.
  –¿Qué has heredado, vitalmente, de tu padre?
  –La pasión.
  –¿Y de tu madre?
  –La inteligencia.
  –Dame más datos para tu solución de herencias.
  –Yo no soy gitano.
  –¿Qué eres?
  –Andaluz, que no es igual, aun cuando todos los andaluces seamos algo gitanos. Mi gitanismo es un tema literario y un libro. Nada más.

* La fecha real es 5 de junio de 1898.

–*Más datos.*

–Mi padre, agricultor, hombre rico, emprendedor, buen caballista. Mi madre, de fina familia. Mi familia hizo crac en el siglo pasado. Ahora resurge otra vez.

–*Gracias a ti.*

–Bueno, gracias a mí.

–*Dime tu infancia.*

–Mi padre se casó viudo con mi madre. Mi infancia es la obsesión de unos cubiertos de plata y de unos retratos de aquella otra «que pudo ser mi madre», Matilde de Palacios. Mi infancia es aprender letras y música con mi madre, ser un niño rico en el pueblo, un mandón.

–*¿Te desplazas pronto de tu pueblo?*

–A un colegio de Almería, en seguidita. Pero me sorprende un tremendo flemón y mis padres creen en mi próxima muerte y me llevan al pueblo otra vez, a cuidarme.

–*¿A qué te gustaba jugar de chico?*

–A eso que juegan los niños que van a salir «tontos puros», poetas. A decir misas, hacer altares, construir teatritos...

–*¿Qué más estudiaste?*

–Estudié mucho. Estuve en el Sagrado Corazón de Jesús, en Granada. Yo sabía mucho, mucho. Pero en el Instituto me dieron cates colosales. Luego, en la Universidad. Yo he fracasado en Literatura, Preceptiva e Historia de la Lengua castellana. En cambio, me gané una popularidad magnífica poniendo motes y apodos a las gentes.

–*¿Cuántos hermanos tienes?*

–Tres.

–*¿Amigos?*

–Muchos.

–*Destaca algunos.*

–El grupo de *Gallo,* la revista nuestra, la nueva cuerda granadina: Joaquín Amigo, Arboleya, Ramos, Ayala, Fernández Casado, Menoyo...

–*¿Qué otras fueron las cuerdas granadinas anteriores?*

–Antes de nosotros, la de Almagro, Gallego Burín, Navarro Pardo, Campos Aravaca y el gran Paquito Soriano Lapresa, el que nos ha dado lectura a todos con su gran biblioteca. Antes, el grupo de Ganivet, con don Nicolás María López, S. Matías Méndez, Bellido, Barracheguren. Antes, las Academias del siglo dieciocho. Antes, Pedro Soto de Rojas y sus amigos... Antes...

–*¿Boabdil?*

–Sí, Boabdil.

–*¿Y los amigos de Madrid, de tu «Residencia»? ¿Cómo viniste a la «Residencia»?*

–Yo estudiaba Derecho y Letras en Granada. Antes había estudiado música con un profesor que había hecho una ópera colosal, *Las hijas de Jephté,* que se llevó un horrible pateo. Yo le dediqué mi primer libro, *Impresiones y paisajes.* Había recorrido España con mi profesor y gran amigo, a quien tanto debo, Domínguez Berrueta. Me tenían preparado el que me marchara pensionado a Bolonia. Pero mis conversaciones con Fernando de los Ríos me hicieron orientarme a la «Residencia» y me vine a Madrid a seguir estudiando Letras.

–*Aquí; ¿tus camaradas habituales...?*

–Dalí, Buñuel, Sánchez Ventura, Vicens, Pepín Bello, Prados y tantos otros.

–*Dicen que se puede escribir un libro con tus aventuras de colegio, de «Residencia». ¿Cuál te parece la más divertida?*

–La de la «Cabaña en el desierto». Un día nos quedamos sin dinero Dalí y yo. Un día como tantos otros.

Hicimos en nuestro cuarto de la «Residencia» un desierto. Con una cabaña y un ángel maravilloso (trípode fotográfico, cabeza angélica y alas de cuellos almidonados). Abrimos la ventana y pedimos socorro a las gentes, perdidos como estábamos en el desierto. Dos días sin afeitarnos, sin salir de la habitación. Medio Madrid desfiló por nuestra cabaña. También hemos encontrado nosotros eso de los «pu-trefactos», ya generalizado.

  –*¿Qué cosas has escrito?*
  –Yo empecé a escribir a los diecisiete años. Mi primer li-bro: *Impresiones y paisajes.* Luego: *Suites* (sin publicar); *Poema del cante jondo* (sin publicar); *Libro de poemas* (Ed. Maroto, 1921); *Canciones* (Litoral, 1927); *Romancero gitano* (Revista de Occidente, 1928); *Mariana Pineda (La Farsa,* 1928).

  –*¿Qué preparas?*
  –*Odas; Las tres degollaciones (La Gaceta Literaria);* un tomo de teatro: *Amor de don Perlimplín con Belisa en su jardín y Los títeres de Cachiporra;* un *Libro de dibujos* (de mi exposición en Barcelona); y otros.

  –*¿Cuál es tu posición teórica actual?*
  –Trabajar puramente. Vuelta a la inspiración. Inspiración, puro instinto, razón única del poeta. La poesía lógica me es insoportable. Ya está bien la lección de Góngora. Apasionado instintivista, por ahora.

  –*¿Te parece bien que te llame, querido Lorca,* diamante invalutable, porvenir sin tiempo actual, ciprés horóscopo, motor y peineta, salsa de seguidilla y triunfo del rey de bastos, Hércules de nieve y moro?
  –No veo más inconveniente que uno: el que me quitas mi récord supremo de los motes.

[E. Giménez Caballero, *La Gaceta Literaria,* Madrid, 15-XII-1928. Entrevista recogida por Marie Laffranque, *Bulletin Hispanique,* LVIII, 3, 1956, págs.305-307.]

III. El autor de «Bodas de sangre» es un buen amigo de los judíos

¿Sería posible que el poeta español, el maravilloso autor del Romancero gitano, *no iba a tener nada que decirnos acerca de los judíos en España?*

Una de esas personas que se creen bien informadas nos había asegurado categóricamente:

—No insistan. García Lorca no puede ver a los judíos...

No lo pudimos creer. Los poetas no son malos. ¿Cómo un hombre que ha hilvanado palabras hermosas puede abrigar en su corazón un sentimiento tan feo como la injusticia?

Y, seguros, nos decidimos a abordar al temible enemigo de los judíos.

La amplia sonrisa nos impidió reconocer al hombre.

Sólo al cabo de un rato, cuando empezó a hablar, advertimos la proximidad de García Lorca.

Un hombre franco y cordial. Sin empaque y sonriente como sus versos.

Tomó nuestra revista, la hojeó, y advirtiendo que se trataba de una publicación israelita, nos dijo:

—¡Hombre! ¿Judíos? Pues les contaré algo reciente, en lo que actué por una imprevisión lamentable.

«TARASCA», POR JUDÍA

–Ustedes saben que en España se quiere a los judíos; quizá como en ninguna parte. Pero no hay que atribuir excesiva importancia a los modismos del lenguaje corriente, que han perdido a través del tiempo sus aristas primitivas. Son palabras que se pronuncian maquinalmente, por costumbre heredada, sin remontarse a su origen, quizá ofensivo.

Así sucede con la palabra *judío*. Se dice judío despectivamente, sí, pero sin pensar en los judíos. La palabreja, incorporada a los motes de uso habitual, ya perdió su significado primero.

Y en *La zapatera prodigiosa* uno de mis personajes la pronunciaba claramente y con todo desenfado. Pues bien, después de la primera representación, recibí una carta firmada por una dama israelita, en la que se me reprochaba enérgicamente mi delito involuntario.

Yo fui el primer dolido, por haberla escrito, y en las sucesivas representaciones se cambio la palabra culpable por la más inofensiva de «tarasca».

–*Nos alegran sus palabras, porque, en verdad, ya nos imaginábamos que usted no tendría motivos para odiarnos. Judíos hubo en España, y el parentesco, aunque lejano, no deja de ser efectivo.*

LORCA ES UN APELLIDO JUDÍO

–No tanto. Cercano y bien cercano. Mi segundo apellido es judío. De manera que ya ven ustedes que, llevando un nombre de filiación semita, mal podría yo tenerles odio o cosa parecida. Y en cuanto al parentesco con España, les contaré algo muy expresivo.

EL ROMANCE DE GERINELDO EN SALÓNICA

El año pasado, mi hermana Isabelita realizó un viaje, en el transcurso del cual llegó a Salónica.

Paseaba por las calles de la vieja ciudad, en la que hay tantos judíos de origen español, cuando oyó de pronto algo que la clavó sorprendida en el suelo:

> *Gerineldo, Gerineldo,*
> *el mi paje más querido,*
> *quisiera hablarte esta noche*
> *en este jardín sombrío...*

Era nada menos que el famoso romance; ¡«Gerineldo» cantado en Salónica, en el año de gracia de 1932!... ¿Algo, no?

A mi hermana el episodio le conmovió hasta las lágrimas, y quiso conocer a la mujer que entonaba los versos: era una anciana nacida en Salónica.

TODA UNA FRASE

Cuando Isabelita quiso saber cómo había llegado hasta ella el viejo romance, la sorprendida fue la mujer:

–¿Y cómo no había de saberlo? Sepa usted que yo soy aragonesa.

A través de tantos siglos de ostracismo, la mujer sentía todavía el orgullo de su estirpe hispana...

Esto le dará a usted una medida de cómo aman los judíos a España.

–Sí, y también dará un mentís a los que afirman con mucha soltura que el judío no siente apego al suelo en que ha nacido.

Ya ve usted: cuatro siglos o más de ausencia no bastaron a una judía española para que reivindicara en la primera oportunidad su origen peninsular.

¿No se podría construir con este delicioso episodio un romance perfumado de evocación?

Pero el ensayo tenía que continuar, imperiosamente. El piano empezó a mordisquear una melodía fresca.

Dejamos al poeta. Y nos alejamos llevando un recuerdo emocionado de este muchacho español que, sin adoptar posturas académicas, ni fruncir demasiado el ceño, ha escrito los versos más lindos del mundo.

[Se cierra la entrevista mediante la reproducción de un autógrafo:]

«Por medio de la Revista Sulem tengo la satisfacción de dirigir un cordial saludo a la colonia sefardita de Buenos Aires. Federico García Lorca. 1933.»

[Marcelo Menasché, *Sulem. Revista social ilustrada para la colectividad israelita,* I, 2, Buenos Aires, 25-12-1933.]

IV. Música de F. García Lorca para dos romances
(Transcripción de Regino Sainz de la Maza)

1. PRENDIMIENTO DE ANTOÑITO EL CAMBORIO

2. MUERTE DE ANTOÑITO EL CAMBORIO

Vo ces de muer te e se o ye ron vo
ces de muer te se o ye ron cer ca del Gua
dal qui vi-ir

V. [Romance inacabado]

Se fueron todos corriendo
hacia la puerta del frío,
buscando brisa dormida
para su miedo vestido.
Por el ojo del caballo
nadaban sierpes y niños.
A cada ardilla despierta
se duerme un nuevo cuchillo.
Ya puede el ancho silencio
mover sin astro ni signo
sus tres cabezas bovinas
sobre el negro muro limpio.
Ya puede el agua sin fin
llevar maderas y linos
por la sábana caliente
de torso descolorido.
El bosque de lluvia canta
indecisa fronda en vilo
por el sueño donde flotan
los nadadores heridos.
Agua y luz de los ahogados

sobre témpanos de vidrio
riega cicutas amargas
de corazón oprimido.
El agua pone moluscos
y flautas en los olivos.

De este romance, acaso fragmento de poema inacabado, sólo conocemos un manuscrito a lápiz, borrador de uso personal sin carácter de copia en limpio. Ofrezco una transcripción depurada. Para los datos esenciales, *vid. infra* la cronología razonada, año 1929.

Cronología razonada
del «Primer romancero gitano»

La siguiente cronología pretende recoger de manera razonada todos los textos de Federico García Lorca –fragmentos de cartas, conferencias, declaraciones y entrevistas–, más los testimonios ajenos de importancia que guardan relación con el *Primer romancero gitano* en vida del poeta. He dado entrada a otros datos que no atañen directamente al libro, pero que pueden iluminar alguno de sus aspectos. Un esquema cronológico cierra este despliegue de datos cruzados, de modo que pueda servir de hilo de Ariadna en el laberinto o de recuerdo *a posteriori* de los hechos esenciales.

La imagen del laberinto no es retórica. Establecer la cronología precisa de los textos lorquianos es una tarea difícil y dura, pues el poeta se desentendió en gran medida de cómputos de calendario, omitiendo y mezclando fechas con sana alegría. El trabajo de diversos investigadores ha ido roturando el camino a lo largo de los años. No era más que el deseo, a veces manifestado de modo pedregoso, de conocer la génesis, siempre misteriosa, de la obra del poeta.

En la primera edición de este volumen (Alianza Edit., 1981) fijé, con apoyos diversos, datos desconocidos e hipótesis,

esta cronología. Pude completar hechos y afinar deducciones en una revisión de 1983. Para entonces André Belamich había dado cuenta de manuscritos desconocidos
del *Romancero* en las notas a su edición de F. G. L., *Œuv-
res complètes,* I, París: Gallimard, 1981. Eran los autógrafos pertenecientes a los herederos del poeta, que al fin serían reproducidos en facsímil en 1988 *(Romancero gitano,*
Madrid: Compañía Iberia), con prólogo de R. Alberti y
transcripción de los manuscritos anónima, pero de quien
esto firma. Con la anterior edición facsimilar de *Autógrafos* lorquianos, por Rafael Martínez Nadal (t. I, Oxford:
The Dolphin Book, 1975), el investigador tenía acceso
casi completo a los manuscritos del *Romancero* que se
han conservado; o, al menos, a sus dos núcleos más im-
portantes.

Mientras tanto, en 1983 Christopher Maurer editaba la
correspondencia lorquiana en dos volúmenes, dentro de la
misma serie de Alianza, dando un paso sustancial en la ordenación cronológica de ese *Epistolario.* En 1988 Miguel
García-Posada editaba el *Romancero* (junto con el *Llanto)*
en una edición anotada (Madrid: Castalia), de la que parcialmente se desdice en el tomo primero de unas *Obras
Completas* de F. G. L. (Barcelona: Círculo de Lectores,
1996). En 1991, Christian de Paepe volvía sobre el *Romancero* en una edición crítica (Madrid: Espasa-Calpe). Al fin,
en 1997, aparecía el magno *Epistolario completo* de Lorca
(Madrid: Cátedra), editado y anotado por Christopher
Maurer (años 1910-1926) y Andrew A. Anderson (1927-
1936). Omito la mención de otras ediciones del *Romancero*
porque su interés, a veces muy alto, es de orden distinto del
que aquí interesa. Sí aludiré a la primera catalogación de los
Dibujos lorquianos, que realicé en 1986 (Madrid: Ministe-
rio de Cultura) y corregí y amplié en mi *Libro de los dibujos
de F. G. L.* (Madrid: Tabapress, 1990). La serie, allí reproducida, de libros del poeta con dedicatorias y dibujos se cons-

tituye también en bibliografía completa de su obra. De ella parece desprenderse, por ejemplo, que la séptima edición del *Romancero* (Madrid: Espasa-Calpe, 1936) debió editarse ya desaparecido el poeta o en los últimos días de su vida, pues no se conocen ejemplares dedicados de su mano. En 1993 edité de nuevo el *Romancero* en una edición especial para Alianza, que se ofrecía «con dibujos del propio autor» a todo color, los textos en nobles tipos Bodoni. Aproveché la ocasión para reunir, entre otros, aquellos dibujos que Lorca hizo como ilustración directa de sus romances, añadiendo como prólogo unas «Nuevas notas sobre el *Primer romancero gitano*».

La inclusión en este recorrido de las cartas de Lorca obedece al simple hecho de que son un diario vivo de su quehacer literario y, por supuesto, del proceso de escritura del *Romancero;* pero con un gravísimo problema: el vital poeta y dramaturgo no fechaba sus cartas personales..., salvo rarísima excepción. Tras el trabajo de muy distintos editores (Jorge Guillén, Antonio Gallego Morell, Arturo del Hoyo, etc.), Maurer y Anderson han retomado toda la correspondencia salvada, incluyendo por primera vez en ese corpus las cartas que Lorca dirigió a sus padres y hermanos. En ellas el poeta daba cuenta de sus problemas y éxitos en el campo de las letras, amén de otros asuntos. Lo mismo transmite al paso que puede reconstruir de memoria todo el *Romancero* –él en Madrid, sus originales en Granada–, que notifica la primera excepción de Revista de Occidente en la edición de un libro de poesía –el suyo–, o el número de ejemplares previstos: 3.500, con número acaso irreal a la hora de la tirada. Los nuevos editores de esas cartas han destejido con cuidadoso rigor la maraña de datos vitales y literarios inscritos en la narración o alusiones del poeta. Han contribuido también, de modo decisivo, al esfuerzo de muchos para fijar una cronología global de la vida y obra del autor del *Romancero*.

El seguimiento de este proceso bibliográfico no deja en mal lugar aquella primera y segunda cronología (1981 y 1983). Tan es así, que su seguimiento, e incluso silencioso calco de datos y argumentos, forma parte de la reconstrucción elaborada por García-Posada y Paepe, críticos que aquí o allá deslizan alguna corrección, hipótesis, dato nuevo u olvidado. Otros esclarecimientos se han ido sucediendo, sobre todo ante la aparición de nuevos textos epistolares, de Lorca y de sus corresponsales. C. Maurer publicó un utilísimo vademécum: «De la correspondencia de García Lorca: datos inéditos sobre la transmisión de su obra», *Boletín de la Fundación FGL,* 1 (1987). Patricio Hernández y Roger Tinnell retoman y completan el «Epistolario de Emilio Prados a F. G. L.» en la misma revista, 21-22 (1997). Avanzado por Maurer y otros investigadores, servía para aclarar una etapa crucial en los proyectos literarios del poeta, cuando está a punto de publicar tres libros en un mismo año (1926), incluida la petición de su colección de romances, entonces inacabada. Emilio Prados quiso editarla en Málaga (suplementos de *Litoral),* como Francisco García Lorca en Granada (de *gallo).*

Este rápido esbozo, que luego se refrenda y amplía, da a entender la suma de novedades que ahora, en 1998, han podido ser incorporadas. El esqueleto es el mismo de antaño: la reciedumbre de ese esqueleto es otra. El lector puede, no obstante, distanciarse de aclaraciones y pormenores. Para ello, los textos de Lorca o de sus coetáneos van en cursiva, de modo que puedan seguirse con relativa comodidad la génesis e incidencias del celebérrimo libro. Las siglas *EC* remiten al citado *Epistolario completo; RG* 1988, a la edición facsimilar de la Compañía Iberia de Aviación. He mantenido las referencias primeras a ediciones de correspondencia (por Jorge Guillén y A. Gallego Morell en especial), en virtud de las mismas argumentaciones que sustentaban y sustentan el establecimiento de esta cronología. Quedan advertidas y señaladas en su sitio las rectificaciones y nueva bibliografía.

1898-1908

Infancia campesina de F. G. L. en dos pueblos de la vega granadina: Fuente Vaqueros, lugar de su nacimiento, y Asquerosa
(hoy Valderrubio). En 1935, en un improvisado discurso dado
en Barcelona durante un homenaje con motivo del estreno de
Doña Rosita la Soltera, el poeta –escribe un periodista– *exaltó
nada menos que a las «criadas», esas criadas de su infancia,
«Dolores la Colorina», «Anilla la Juanera», que le enseñaron
oralmente los romances, leyendas y canciones que despertaron
su alma de poeta:*

*–¿Qué sería de los niños ricos –dijo– si no fuera por las
sirvientas, que los ponen en contacto con la verdad y la
emoción del pueblo?* (Recogido en la edición de *Doña Rosita la Soltera* publicada en esta Biblioteca de autor [1998],
págs. 233-236.)

Ya en su conferencia sobre las canciones de cuna [1928],
F. G. L. había dicho:

*El niño rico tiene la nana de la mujer pobre, que le da al mismo
tiempo, en su cándida leche silvestre, la médula del país.*

*Estas nodrizas, juntamente con las criadas y otras sirvien-
tas más humildes, están realizando hace mucho tiempo la im-
portantísima labor de llevar el romance, la canción y el cuento
a la casa de los aristócratas y los burgueses. Los niños ricos saben de Gerineldo, de don Bernardo, de Tamar, de los amantes
de Teruel, gracias a estas admirables criadas y nodrizas que
bajan de los montes o vienen a lo largo de nuestros ríos para
darnos la primera lección de historia de España... (Conferencias, I, Madrid: Alianza Edit., 1984, pág. 158.)*

Dolores «la Colorina», que se mantuvo ligada a la familia
García Lorca incluso tras su traslado a Granada en 1908, fue
nodriza de Francisco García Lorca, quien trazaría una her-

mosa semblanza de ella en *Federico y su mundo* (Madrid, 1980, págs. 71-77).

1918

Al fin de *Impresiones y paisajes,* primer libro del poeta, anuncia éste la publicación, entre otras obras, de *Tonadas de la vega (Cancionero popular).* El proyecto, que se engarza con otros posteriores, sólo tuvo realidad parcial a través de una grabación discográfica (1931) con Encarnación López, *la Argentinita.*

1919

F. G. L. se traslada para seguir sus estudios a la Residencia de Estudiantes, de Madrid, donde vivirá hasta 1928. Allí trabará amistad con Emilio Prados, Salvador Dalí, Luis Buñuel, José Bello, José Antonio Rubio Sacristán, etc. Ha narrado uno de aquellos residentes, Modesto Laza Palacios:

Federico era excepcional en la presencia simpática y avasalladora, con sus grandes ojos negros fulgurantes de brillos maliciosos y pícaros.

Cuando se sentaba al piano para acompañarse en el recitado o en el canto, cantaba muchos romances antiguos con melodías de la época o con otras que él les inventaba, lucía una voz profunda y varonil, con matices delicados llenos de ignoradas añoranzas. Tenía dedos eléctricos.

Cuando nos reuníamos en su cuarto a escuchar sus poemas, a veces nos consultaba con profunda sinceridad si aquella imagen o aquella palabra debían ser cambiadas o sustituidas. Alguna vez aceptó ligeras modificaciones de quien se atrevía a proponerlas, que siempre era Prados. («Recuerdo de cuatro amigos», *Sur* [Málaga], 14-IV-1971.)

1920

¿10 DE ABRIL?

A mí ya no me podéis cambiar. Yo he nacido poeta y artista como el que nace cojo, como el que nace ciego, como el que nace guapo. Dejadme las alas en su sitio, que yo os respondo que volaré bien.

Carta a su padre, Federico García Rodríguez, desde la Residencia de Estudiantes; en ella quiere convencerle de que su vocación literaria le exige la permanencia en Madrid y no la vuelta a Granada *(EC,* pág. 74). Lorca, que dependerá del apoyo económico de sus padres durante largos años, al menos hasta 1933, repetirá con frecuencia esta convicción en su correspondencia familiar.

SEPTIEMBRE

F. G. L. acompaña a Ramón Menéndez Pidal, sirviéndole de guía, «por las calles del Albaicín y por las cuevas del Sacro Monte» para recoger romances orales «en aquellos barrios gitanos de la ciudad». R. Menéndez Pidal, *Romancero hispánico (Hispano-portugués, americano y sefardí). Teoría e historia,* t. II, Madrid, 1968, págs. 438-439.

Según el recuerdo de Isabel García Lorca, Menéndez Pidal recogió romances de una criada de su casa –Paca de nombre– y escuchó a Federico al piano.

En aquella ocasión F. G. L. copia de su mano, con lápiz color violeta y en dos hojas, el romance de *Gerineldo* y el de *La condesita.* Ambos le fueron recitados, de acuerdo con la indicación al pie de la segunda hoja, por Isabel García, de 35 años, quien «Lo cantaba en la plaza de la Mariana, en Granada». Conservado el doble autógrafo en el Archivo Menéndez Pidal (agradezco la ayuda prestada por Ana Valenciano y Jesús Antonio Cid), pueden deducirse por la fecha y lugar consignados –aparte la similitud del papel de cuaderno que se usó– algunos de los romances recogidos en Granada por Ramón Menéndez Pidal: junto a los

dos citados, varias versiones de *Don Bueso* (una de ellas cantada
por Nicolasa Gravioto, de Albuñol, portera de la casa donde vivía Fernando de los Ríos), del romance infantil dedicado a Mariana Pineda y, muy probablemente, de *Los peregrinitos* y del
romance de *Tamar*. Adviértase, de todos modos, que esta reconstrucción de la excursión pidaliana es sólo parcial.

¿PRIMEROS DE OCTUBRE?

A su hermano Francisco, desde Madrid:

Otro encargo, Paquito: mándame los romances que se me olvi-
daron y ve a casa de Ceniceros, 8, con el libro de preguntas y co-
pia lo que puedas. De esto tenemos tú y yo que sostener corres-
pondencia; así que escríbeme y nos entenderemos.

Ya estarían en poder de Pidal las copias del poeta citadas,
pues debieron hacerse durante la estancia del gran filólogo en
Granada. Un indicio de ello es que no haya ninguna carta de
Lorca en el Archivo M. Pidal (Madrid). Los dos hermanos, sin
embargo, continuaron su labor de recogida de romances,
como sugiere esta petición de nueva visita a una casa de la calle
Ceniceros, en el Albaicín. El «libro de preguntas», como indica
Christopher Maurer, era el de María Goyri de M. Pidal,
Romances que deben buscarse en la tradición oral (Madrid,
1907). Con «los romances que se me olvidaron» parece referirse a transcripciones de romances orales, como aclara en carta
de fechas próximas, donde reitera la petición a su hermano de
«los romances que yo recogí». En la primera pide también, y a
vuelta de correo, un libro sobre los ballets rusos y «la *Primave-*
ra», que Maurer identifica como *Primavera y flor de romances*
o Colección de los más viejos y más populares romances castella-
nos, de Fernando José Wolf y Conrado Hoffman (Berlín, 1856,
2 vols.), con nueva y ampliada edición de Menéndez y Pelayo
(Madrid, 1899) en tres volúmenes. Se trataría, pues, de una de
las dos ediciones. Lorca continuaría su recolección de romances; así, dos versiones, que recoge en San Sebastián, en 1923,

del dedicado a Mariana Pineda; otros romances no precisados, además de cuentos tradicionales, son recogidos en Lanjarón (Granada), en 1924, etc. *(EC,* págs. 81-82, 85, 183 y 248.)

1921

28 DE DICIEMBRE

Primera redacción del «Romance con lagunas», que en su versión definitiva *(Romancero gitano,* 1928) se llamará «Burla de Don Pedro a caballo», quedando el título anterior como subtítulo explicativo. En un manuscrito sin fecha del «Romance del emplazado» (F. G. L., *Autógrafos,* I, ed. R. Martínez Nadal, Oxford, 1975, pág. 170) una lista que enumera siete romances del libro nos proporciona el título «Don Pedro enamorado», tal vez simple recordatorio del tema, no título real.

La fecha de la primera redacción está atestiguada en dos manuscritos. El primero, con variantes de importancia y datado el «28 de diciembre 1921», le fue entregado por el poeta a E. Díez-Canedo, según consulta que agradezco a Francisco Giner de los Ríos; el segundo, enviado por carta a J. Romero Murube para su publicación en la revista *Mediodía* (cf. año 1927 de esta cronología), lleva la fecha «28 de diciembre 1921-1927», de acuerdo con Jacques Comincioli, *F. G. L., Textes inédits et documents critiques,* Lausanne, 1970, págs. 32-33 y 148. Los dos años parecen indicar redacción primera y corrección final, previa, de todos modos, al añadido del título definitivo y revisión (mínima) del texto impreso.

1922

PRIMEROS DE JULIO

Ahora pienso trabajar mucho bajo mis eternos chopos y «bajo el pianísimo del oro». Quiero hacer este verano una obra serena y quieta; pienso construir varios romances con lagunas, romances

*con montañas, romances con estrellas; una obra misteriosa y
clara, que sea como una flor (arbitraria y perfecta como una
flor): ¡toda perfume! Quiero sacar de la sombra a algunas niñas
árabes que jugaron por estos pueblos y perder en mis bosqueci-
llos líricos a las figuras ideales de los romancillos anónimos. Fi-
gúrate un romance que en vez de lagunas tenga* cielos. *¡Hay
nada más emocionante! Este verano, si Dios me ayuda con sus
palomitas, haré una obra popular y andalucísima. Voy a viajar
un poco por estos pueblos maravillosos, cuyos castillos, cuyas
personas parece que nunca han existido para los poetas y...
¡¡Basta ya de Castilla!!*

Carta núm. 10 a M. Fernández Almagro en F. G. L., *Cartas,
postales, poemas y dibujos,* ed. A. Gallego Morell, Madrid,
1968, pág. 49. Fechada por su editor en la primavera de 1923,
corresponde a primeros de julio del año anterior, como confirma la contestación del destinatario, de acuerdo con C. Maurer
(*EC,* pág. 147). Lorca alude a su poema «Canción», perteneciente a la *suite* «Seis canciones de anochecer», fechada el 14 de
agosto de 1921. «Canción», con el título de «Solitario» en su
redacción primera, es el tercer fragmento o variación de la *suite,* leída o acaso entregada antes de Fernández Almagro, lo que
justificaría la mención de dos de sus versos: «bajo el pianísimo /
del oro». Un año después copia la canción entera en carta a
José María Chacón y Calvo (*EC,* pág. 191). Para la fecha de
«Seis canciones...», *vid.* A. Belamich, ed., *Suites,* Barcelona,
1983, págs. 110-111.

Por otro lado, es frecuente que el poeta describa un proyecto antes de su ejecución. Sin que hubiera fraguado en su
mente la idea de un *Romancero gitano,* en la carta queda claramente aludido el «Romance con lagunas», ya entonces compuesto, más el deseo de su continuidad en una serie nueva, ajena al impresionismo lírico y juego de variaciones de las *Suites.*
En estos años Lorca usaba indistintamente los términos «romance» y «romancillo». Acaso el segundo término evoca para
él la pervivencia de una poesía narrativa en un folclore próxi-

mo: el del mundo infantil. Recuérdese a este propósito el «Romancillo del bordado», en *Mariana Pineda*, pero también «Romancillo», primer título de «Arbolé arbolé» *(vid. infra,* 1923 y 4-IV-1926). Lo importante es que en su carta Lorca anuncia el proyecto de un ciclo nuevo, ahora entrevisto, que se confundirá con el arranque de su futuro libro. ¿Formó parte intencional de ese ciclo, en un primer momento, la «Baladilla de los tres ríos»? Su proximidad «andaluza» a «Arbolé arbolé» es clara: los dos romances –de tema andaluz, pero no gitano– anuncian el *Romancero.* Se incorporarán a otros libros, *Poema del cante jondo* y *Canciones,* respectivamente, desdibujándose el nexo.

La metamorfosis de las lagunas textuales en montañas y estrellas parece preludiar el «Romance sonámbulo», como se manifiesta el conocimiento de los romances orales y de sus problemas de transmisión, que Lorca había convertido y convertirá en fuente de invención poética. Ha de tenerse en cuenta que gran parte del *Romancero* está escrito bajo la clave de las «lagunas», con acciones incompletas o semiborradas. Para las lagunas y la teoría lorquiana del palimpsesto, *vid.* M. Hernández, «F. G. L.: rueda y juego de la tradición popular», en *El legado cultural de España al siglo XXI. 2. La literatura: clásicos contemporáneos,* Barcelona: Círculo de Lectores, 1992, págs. 263-292.

1923

En el curso del año escribe un detallado guión y parte de los diálogos de la ópera cómica en un acto *Lola la comedianta,* que habría de ilustrar musicalmente Manuel de Falla. A esta obra pertenece en su origen el romance «Arbolé arbolé», que se incorporaría a *Canciones.* Cf. Mario Hernández, «García Lorca y Manuel de Falla: una carta y una obra inéditas», *El País,* 24-XII-1977, y F. García Lorca, *Lola la Comedianta,* ed. Piero Menarini, Madrid, 1981, págs. 37, 161 y 181.

¿ENERO?

Publica su romance «Baladilla de los tres ríos», en *Horizonte*, 5 (Madrid, 1923), pág. 1. C. Maurer, que transcribe un manuscrito sin fecha enviado en carta a M. Fernández Almagro, indica, para la aparición de la revista, el comienzo del año *(EC*, pág. 166 n.). El poema ya había sido leído en público el 7-VI-1922, como parte del libro sobre el cante jondo. *Vid.* M. H. ed., *Poema del cante jondo,* Madrid, Alianza Edit., 1998, pág. 195.

JUNIO

Tengo el proyecto de hacer un gran romance teatral sobre Marianita Pineda y ya lo tengo resuelto, con gran alegría de Gregorio [Martínez Sierra] y Catalina [Bárcena], que ven las posibilidades de una cosa fuerte. Mi pensamiento es poner en escena los últimos días de la gran mujer granadina. (Carta núm. 4 a A. Gallego Burín, ed. A. Gallego Morell, pág. 123; *EC,* pág. 186.)

FINES DE JULIO

Adiós. Ahora mismo comienza una gran tormenta. Los truenos, como grandes brasas de hierro negro que rodaran sobre una pendiente de piedra lisa, hacen temblar los cristales de mi casa. ¡Señor, acuérdate de los rebaños que viven en el monte y de las garbas de trigo abandonadas sobre el rastrojo! Entre la luz cenicienta mi madre y mis hermanos dicen: «¡Santo, Santo, Santo!»
Yo, como el caracol, encojo mis cuernecitos de poesía.

Fin de una carta, desde Asquerosa (Granada), a José María Chacón y Calvo, en *EC,* pág. 195. Un motivo del futuro «Martirio de Santa Olalla», ya evocado en mi introducción, rebrota en estas palabras de Isabel García Lorca («Recuerdos de infancia», en Laura Dolfi, ed., *L'imposible/posible di F.G.L.,* Napoli, 1989, págs. 18-19):

También se rezaba [en nuestra casa], cuando había tormenta, el trisagio. Aquí sí entraba Federico desde el comienzo de la ceremonia. En Granada las tormentas, en general, son cortas, pero muy violentas, sobre todo en primavera. Se rezaba porque nuestra Dolores se lo suplicaba a mi madre. Se cerraban puertas y balcones. Todo quedaba en una total oscuridad. La única luz era la de una vela, que a mí me impresionaba mucho y me causaba un extraño placer. La guardaba religiosamente Dolores. Era de cera virgen, olía muy bien y tenía que haber alumbrado en el monumento de Jueves Santo; si no, no alejaba ni el trueno ni el rayo. Y la que se encendía era muy grande, casi un cirio, y tenía en rojo una inscripción que decía «Federico García»; y era el cabo de la vela que enviaba mi padre todas las Semanas Santas a nuestra parroquia. Mi madre se sabía de memoria el trisagio y lo decía divinamente: «El trisagio de Isaías / escribió con grande celo / lo oyó cantar en el cielo / a angélicas jerarquías». Y luego todos repetíamos: «Ángeles y serafines, / arcángeles y querubines / dicen Santo, Santo, Santo».

OTOÑO

Relata José Mora Guarnido en *F. G. L. y su mundo* (Buenos Aires: Losada, 1958, págs. 209-210; facsímil en Granada: Caja General de Ahorros, pról. de M. H., 1998):

Antes de mi salida de Granada –otoño de 1923– en nuestros paseos por las calles solitarias en la madrugada, me había recitado, estoy seguro, casi todos los romances que en 1927 [sic] *se publicaron bajo el título de* Romancero gitano. *Uno de ellos especialmente, el titulado «Romance de la luna luna» (primero de la serie), me había producido tan intensa impresión, había puesto yo tan cálida sinceridad al celebrárselo que me dijo: «Te lo voy a dedicar», sacó el original del bolsillo e inscribió la dedicatoria.*

A continuación narra Mora Guarnido la publicación «algún tiempo después» del citado romance en la revista *Proa* (1925), todavía dedicado a él, y su relativa molestia ante la desaparición de su nombre, sustituido por el de Conchita García Lorca, en la dedicatoria definitiva del libro (1928). La verosimilitud del dato y fecha de composición de al menos uno de los romances (posiblemente sólo de éste, si hacemos excepción del «Romance con lagunas» o de otros que forman parte de *Poema del cante jondo, Suites* y *Canciones)* cobra fuerza si pensamos que Mora emigró a los Países del Plata en la fecha indicada, no dándose en él, por lo tanto, una superposición de recuerdos posteriores a 1923, hasta su reencuentro con Lorca en 1934. Refrenda la historia narrada la implicación personal en la anécdota y el hecho de que el poeta desagraviara a su amigo, según éste narra, copiándole el «Romance de la luna, luna» en Montevideo, e ilustrándole el manuscrito con «una cabeza de Pierrot bajo una negra luna aureolada de blanco».

He aquí título y dedicatoria en el tardío manuscrito: «Romance de la luna, luna (1926) / –Para mi viejo y queridísimo camarada José Mora Guarnido–». Al pie está fechado en «Montevideo, 1934». El definido por Mora como Pierrot es, más bien, un joven gitano tocado con calañés. En M. H., *Libro de los dibujos,* págs. 257 y 127; y en facsímil del libro de Mora, pág. xxxix.

13 DE OCTUBRE

M. Fernández Almagro, en su artículo «El mundo lírico de García Lorca» *(España,* núm. 391, págs. 7-8), alude a poemas de *Suites, Poema del cante jondo* (nombrado aún sólo como *Cante jondo)* y *Canciones,* sin citar, en cambio, ningún «romance gitano». Entre otros poemas aludidos, muchos de las desconocidas *Suites,* se menciona al viento «galán de torres», con clara alusión al romance «Arbolé arbolé».

FIN DE NOVIEMBRE

Acabo de entregar un libro para una serie de cuadernos litera-
rios de gran éxito que hace Alfonso Reyes el ministro (y proba-
ble presidente) de Méjico en compañía de un americano riquí-
simo. He dado las suites *(no todas) y una coleccioncilla de*
canciones. Estos cuadernos tendrán una difusión enorme y lle-
van un retrato mío y un prólogo de Canedo.

En *EC,* págs. 215-216. Lorca se refería al original de un libro
antológico para Cuadernos Literarios, colección editorial fun-
dada por J. Moreno Villa, Enrique Díez-Canedo y Alfonso Reyes. Para la fecha de la carta y la colección, M. H., «Hilo de en-
cuentros: A. Reyes y F. G. L.», *Boletín de la FFGL,* 13-14 (1993),
págs. 157-167. Analiza y esclarece este fallido proyecto, con
otras referencias bibliográficas, C. Maurer en amplia nota del
EC. Es de interés notar que el «Romance con lagunas» *(supra,*
año 1921) obraba entre los manuscritos lorquianos de Canedo, al parecer como parte de la colección.

1924

En el curso del año comienza el «Romance de la Guardia Civil
española», según recuerda en carta a Jorge Guillén (J. G., *Federi-*
co en persona, Buenos Aires, 1959, pág. 108; e *infra,* año 1926).

29 DE JULIO

Bajo el título de *Romances gitanos,* y numerado bajo el número 1, Lorca copia el «Romance de la luna, luna», sin título en
este manuscrito *(Autógrafos,* págs. 138-141).
    El título genérico, más la numeración del romance, que in-
dicaría orden de sucesión en un manuscrito organizado, nos
dan a entender que estamos ante una copia en limpio a partir

de un original anterior, lo que no impide nuevas correcciones. Por este motivo la fecha consignada por el autor puede ser la de la versión que en ese momento considera última, así como la citada fecha de 1926 (para Mora Guarnido) podría corresponder, por confusión del autor (en 1934), al año central de escritura del libro. El laberinto no acaba ahí: en la revista *Proa (infra,* 1925) el mismo romance aparece datado en «Granada, 1925».

El relato de Mora Guarnido es, como he indicado, de una absoluta verosimilitud: el «Romance de la luna, luna» le habría sido leído en el otoño de 1923. Se trataría, pues, de la primera redacción de un poema «suelto». Su parentesco con «Arbolé arbolé» no es remoto, lo que apoyaría ese año de redacción. Sin embargo, este 29 de julio de 1924 marca –por escrito– la toma primera de decisión en orden a una futura serie, fijado metro y mundo implicado: «Romances gitanos». Que esa serie constituyera libro, y libro unitario, acaso fue decisión posterior.

A propósito de este título ha escrito Modesto Laza Palacios en su citado artículo de *Sur* (en año 1919):

> [...] *uno de aquellos días discutió vivamente con Prados si había cambiado en* Litoral, *que hacía Prados aquí, en Málaga,* Romances gitanos *por* Romancero gitano, *y creo que prevaleció finalmente la corrección de Prados.*

Según documento más adelante, en 1926 se publican en *Litoral* tres «Romances gitanos», con intervención directa de Emilio Prados. El mismo título genérico se mantendrá para otros dos en *Revista de Occidente,* ya en enero de 1928. No obstante, en abril de 1926 Lorca lee en el Ateneo de Valladolid poemas de su futuro *Romancero gitano,* así mencionado en la prensa, se deduce que por declaración suya. Avalan el título definitivo otras menciones epistolares del poeta en ese mismo año. Emilio Prados usa, en su correspondencia con Lorca de 1926, los dos títulos. La obvia distinción entre un grupo de «romances gitanos» y un «romancero» se impondría pronto, acaso a partir de esa discusión con Prados: Lorca quiere distinguir entre «romances gitanos», con características que les serían propias, y romances de otro tipo o apellido. De ahí que en copias o menciones epistolares de sus poemas apostille con frecuencia: «romance gitano». La anécdota de Laza Palacios es más verosímil si pensamos que Prados proyectó la edición del *Romancero,* bajo diseño suyo, en los suplementos de *Litoral.*

30 DE JULIO

Manuscrito con esta fecha del «Romance de la pena negra», escrito, a lo que puede deducirse, sobre el mismo tipo de papel que el «Romance de la luna, luna». Cf. *Autógrafos,* ed. cit., págs. 150-155.

Los dos primeros versos del romance –«Las piquetas de los gallos / cavan buscando la aurora»–, además de denotar una valiente interpretación de un célebre verso del *Poema de Mio Cid,* fueron retomados por el poeta de un borrador anterior (1921), el del poema «Cueva», primero de una serie que se habría titulado «La bulería de la muerte», como parte del *Poema del cante jondo.* García Lorca desestimó el poema y la serie citados, de los que queda constancia por una sola hoja conservada en su Archivo. Cf. A. Belamich, ob. cit., págs. 171, 163 y 193.

2 DE AGOSTO

Autógrafo a lápiz, sobre cuatro cuartillas, del «Romance sonámbulo», con la fecha que se consigna. Lorca escribe a tinta un primer título: «El romance de la pena negra en Granada». Con la misma pluma inicia o copia parte del primer verso, para continuar después con lápiz. En un segundo momento añade y tacha sucesivamente dos títulos sustitutorios: «La gitana» y «Romance de Adelaida Flores y Antonio Amaya». Con letra diminuta escribe en un margen el título definitivo. La versión de este autógrafo no difiere sustancialmente de la definitiva. Facsímil en *RG,* 1988.

AGOSTO

He trabajado bastante y estoy terminando una serie de romances gitanos *que son por completo de mi gusto. También estoy haciendo interpretaciones modernas de figuras de la mitología griega, cosa nueva en mí y que me distrae muchísimo. De teatro he terminado el primer acto de una comedia (por el estilo de Cristobícal) que se llama* La zapatera prodigiosa, *donde no se dicen más que las palabras precisas y se* insinúa *todo lo demás.*

Carta núm. 12 a M. F. A., ob. cit., pág. 53. Fechada por su editor en julio de 1923, la pospongo en un año por su evidente relación con los autógrafos del *Romancero* anteriormente reseñados. C. Maurer sugiere fines de julio (*EC*, págs. 240-243). En el lenguaje lorquiano, el «estoy terminando» ha de ser entendido con cierta relatividad, máxime desde nuestra perspectiva. Apoya la nueva fecha propuesta cuanto sabemos de *La zapatera prodigiosa*.

20 DE AGOSTO

Autógrafo con esta fecha del romance de «La monja gitana». Carece de título. *Autógrafos*, ed. cit., págs. 142-145. R. M. Nadal transcribe en su edición «1925». Hay, en efecto, razones para el equívoco ante los rasgos confusos del poeta. Rectificó con razón M. García-Posada, pág. 10 n.

FINES DE AGOSTO

No sabes lo que me agrada que te hayan gustado mis poemas, sobre todo el romance gitano; si tú me contestas pronto, yo te enviaré un romance sonámbulo *que he terminado. Me gusta Granada con delirio, pero para vivir en otro plan; vivir en un carmen; y lo demás es tontería. Vivir cerca de lo que uno ama y siente. Cal, mirto y surtidor.*

[...] Aquí en Granada ya no tengo amigos, todos son nuevos, y me miran en la Alhambra como un forastero un poquitín loco que da vueltas y vueltas por el infinito patio de Lindaraja sin querer encontrar la salida (que no la debiera tener).

Carta núm. 14 a M. F. A., ed. cit., págs. 56-57. Fechada por su editor en septiembre de 1923, la pospongo en un año por la fecha del primer poema que al fin de la carta copia el poeta: «Canción» («¡Es verdad!», en *Canciones),* cuyo manuscrito, tal como se conserva en el archivo familiar, está fechado el «22 de agosto 1924». Otras hipótesis, en *EC,* pág. 244. Por otro lado, la carta alude a otra anterior que ha debido perderse, pues no se sabe a qué «romance gitano» se refiere el poeta. Finalmente, «Cal, mirto y surtidor» nos sitúan en un ámbito próximo al de «La monja gitana»: «Silencio de cal y mirto»...

17 DE SEPTIEMBRE

Vivo en una continua sorpresa. [...] Debes venir a este paraíso en cuanto puedas. He encontrado curiosísimos cuentos y romances. (Carta núm. 19, desde Lanjarón [Granada], a M. F. A., ed. cit., pág. 67; *EC,* pág. 248. *[Vid. supra,* año 1920.]*)*

OCTUBRE

Ha escrito Rafael Alberti, hombre de probada y excepcional memoria, sobre su primer encuentro con F. G. L.:

Estábamos en los jardines de la Residencia de Estudiantes (Altos del Hipódromo), en donde García Lorca –aspirante a abogado– pasaba todo el curso desde hacía varios años. Como era el mes de octubre, el poeta acababa de llegar de su Granada. [...] Nunca había oído recitar a Federico. Tenía fama de hacerlo muy bien. Y en aquella oscuridad, lejanamente iluminada por las ventanas

encendidas de las habitaciones, comprobé que era cierto. Recita-
ba García Lorca su último romance gitano, traído de Granada:

                    Verde que te quiero verde...

    [...] de aquella primera noche de nuestra amistad sólo re-
cordaré siempre el «Romance sonámbulo», su misterioso dra-
matismo, más escalofriante todavía en la penumbra de aquel
jardín de la Residencia susurrado de álamos. (Cf. *La arbole-*
da perdida, Buenos Aires, 1959, págs. 172-173.)

                              1925

MEDIADOS DE ABRIL

Las fiestas de Resurrección en Cadaqués han sido maravillosas.
Los niños vestidos de angelitos corrían por la playas y recitaban
romances en catalán. Los pescadores y marineros, acompaña-
dos de trompetas y acordeones, cantaban con suma afinación y
a varias voces las canciones de las caramellas.

    El padre de Dalí me obsequió con una torta de azúcar y fru-
tas que tenía escrito mi nombre y dos versos míos, y Ana María
[Dalí] un muñeco hecho con masa de «crespell», que es una es-
pecie de buñuelo catalán. (Carta a sus padres y hermanos desde Cadaqués y casa de los Dalí. [*EC*, pág. 274.])

JUNIO

En *Proa,* 11 (Buenos Aires, junio, 1925, págs. 15-17), revista
dirigida por Jorge Luis Borges, Brandan Caraffa y Ricardo
Güiraldes, aparece el «Romance de la luna de los gitanos», dedicado a José Mora Guarnido, y «Soneto» («Largo espectro de
plata conmovida»), con dedicatoria a José María de Sagarra. El
romance aparece fechado en «Granada, 1925», al igual que el

soneto (luego en *Canciones*). Tales fechas corresponderían al momento de la copia, no al de la composición, pues los dos poemas son del año anterior. Lo más probable es que llegaran a la revista a través de Norah Borges y Guillermo de Torre. Otra posibilidad más remota es que hiciera de mediador Alfonso Reyes, en contacto con la revista.

PRIMEROS DE JULIO

Hago unos diálogos extraños, profundísimos de puro superficiales, que acaban todos ellos con una canción.

Carta 28 a M. F. A., ob. cit., pág. 76. Modifico la fecha dada por su editor, conocida la de composición de la «Escena del teniente coronel de la Guardia Civil», tal como consta en la primera edición del *Poema del cante jondo* y en *Autógrafos* (pág. 106): «5 de julio 1925». Lorca nombra en su carta, aparte de la citada «Escena», «La doncella, el marinero y el estudiante» y «Paseo de Buster Keaton», éste bajo el título primero de «Diálogo de la bicicleta de Filadelfia». Cita otros dos: «El loco y la loca» y «Diálogo de la danza» (éste desconocido), y no menciona el «Diálogo del Amargo», fechado el 9 de julio del mismo año y seguramente no compuesto cuando la carta fue escrita.

Tanto la «Escena» como el «Diálogo del Amargo» terminan, como el poeta indica, con sendas canciones. Así como la «Canción de la madre del Amargo» no se confunde con el «Romance del emplazado», tampoco ha de confundirse la «Canción del gitano apaleado» con el luego mencionado (año 1926) «Romance del gitanillo apaleado».

PRIMEROS DE JULIO

Carta a Benjamín Palencia:

Tengo una gran alegría saludándote desde los miradores iluminados de Granada.

Esta luz me aprieta las sienes como un pañuelo de oro.

Los árboles están soñando sus frutos, las hojitas soñando su viento, la catedral está repicando y los aviones bailan el rigodón de todas las tardes. La Guardia Civil mata un gitano cada día y apunta su nombre en una lista larga y ondulante como un dragón chino.

Como sugiere C. Maurer, estas líneas guardan clara relación con el «Diálogo del Amargo» y «Diálogo del teniente coronel de la Guardia Civil», de estas mismas fechas, que serían incorporados al *Poema del cante jondo* (1931). *EC,* pág. 286.

1926

20 DE ENERO

Manuscrito autógrafo –copia en limpio– de «Prendimiento de Antoñito el Camborio en el camino de Sevilla», con la fecha que se consigna. Sobre el texto consta este epígrafe: «(romance gitano)». El manuscrito forma parte de la colección Enrique Díez-Canedo, junto con «Preciosa y el aire» y «Romance con lagunas».

La fecha de composición del «Prendimiento» se ve confirmada por la carta del poeta a su hermano *(infra),* en la que también menciona «Preciosa». Al margen de las variantes de puntuación y del olvido de una preposición en el v. 43 –«Y [a] las nueve de la noche»–, el manuscrito sólo difiere de la versión definitiva en la presencia de dos versos finalmente suprimidos. Tras los vv. 33-34 («Ni tú eres hijo de nadie / ni legítimo Camborio»), había añadido: «¡Gastas cintillos de plata / y corazón sin enojo!» Estos dos versos, ya con una posible errata («enojos»), se mantienen en la versión editada por Emilio Prados en *Litoral,* sobre la que el poeta se lamentaría (cf. enero de 1927).

Es de suponer que «Muerte de Antoñito el Camborio» debió ser escrito en fechas próximas. Ha recordado Jorge Guillén *(Federico en persona,* pág. 53):

Hubo romances que fueron escritos de un golpe. Me contaba
José Antonio Rubio, el más goethiano de mis amigos, compañe-
ro de cuarto de Federico en la Residencia de Madrid, que una
noche fría de invierno Federico se acostó temprano y allí, en la
cama, redactó «Muerte de Antoñito el Camborio» tal como vio
la luz.

    Vid. C. de Paepe, ed., págs. 32-33.

27 DE ENERO

Manuscrito con esta fecha de «La casada infiel» *(Autógrafos,*
ed. cit., págs. 146-149). A pesar de las correcciones que tiene,
no parece que estemos ante un borrador primero, sino ante
una copia a pluma de un manuscrito anterior.

28 DE ENERO

Manuscrito autógrafo –copia en limpio– de «Preciosa y el
aire», de la serie E. Díez-Canedo, con la fecha que se consigna.
Esta versión sólo se distingue de la definitiva por las variantes
de puntuación. A partir de este dato se coligen las alteraciones
que este romance, igual que «Prendimiento», ha de sufrir en su
edición de *Litoral* (noviembre 1926).

FINES DE ENERO

Por estas fechas la pieza teatral *Amor de don Perlimplín con Be-*
lisa en su jardín habría sido ya escrita y sólo estaría pendiente
de retoques. Aparece definida desde el primer momento por
su autor como «aleluya erótica», según la carta 34 a M. Fernández Almagro (ed. cit., pág. 83), en la que se incluye un fragmento del diálogo. Éste recoge la serenata de Belisa, coincidente con un poema de *Canciones* (1927). La carta, fechada

por su primer editor, A. Gallego Morell, en 1926, sin especificar mes, se sitúa a fines de enero, como demuestra C. Maurer (*EC*, pág. 316).

Después del fragmento del Perlimplín, Lorca copia «este romance gitano nuevo» *(sic)*, titulado en la carta «Romance gitano de la luna luna de los gitanos». Esta versión es coincidente, salvo rasgos menores, con el ya citado autógrafo de 1924. Al término del romance, comenta el poeta:

Te envío éste, que es el primero que hice y es el más corto. Hay otros con los siguientes títulos: «El romance de la pena negra en Jaén», «El romance de los barandales altos», «El romance de la Guardia Civil», «El romance de Adelaida Flores y Antonio Amaya» y otros de diferentes clases. Mi idea es hacer un romancero gitano, *pero ¡venga hacer versos!, ¡venga hacer versos! para no publicar un solo libro... ¡Me da verdadera pena!, ¡y ganas de romperlos!*

Si el «Romance de la luna» es el primero escrito, como declara (y confirma la numeración del citado manuscrito de *Autógrafos),* el «Romance con lagunas» no pertenecía aún, en la mente del poeta, al libro futuro.

«El romance de los barandales altos» parece denominación descriptiva del «Romance sonámbulo». Éste, citado de este modo anteriormente, quedaba *definido,* no titulado, como podría deducirse por el subrayado, y no entrecomillado, del nombre definitivo del romance. De éste, en su versión definitiva, son los versos siguientes: «ella sueña en su baranda», «hasta las verdes barandas», «barandales de la luna», «hacia las altas barandas», «en esta verde baranda».

«El romance de Adelaida Flores y Antonio Amaya» no resulta claramente identificable. Podría tratarse de una versión (o proyecto) de «La casada infiel». En el ya citado manuscrito de este romance *(Autógrafos)* aparecen los siguientes versos: «me porté como quien soy / como un Amaya legítimo». Recuérdense, no obstante, los títulos adscritos, en un principio, al «Romance sonámbulo» (2-VII-1924). Dada la costumbre del poeta de inscribir en una hoja títulos que luego no corresponderán al texto escrito, no ha de desecharse la posibilidad de que los dos nombres gitanos entonces anotados apuntaran ya al proyecto de un romance distinto, el de «La casada infiel».

Por el orden de mención tal vez el poeta realiza su enumeración de títulos a partir de una posible copia realizada en 1924. Como he indicado, tres son las versiones autógrafas de romances datados en fechas contiguas de dicho año: «Romance de la luna, luna» (29 de julio), «Romance de la pena negra» (30 de julio) y «Romance sonámbulo» (2 de agosto).

En la misma carta a M. F. A. Maurer añade dos hojas más que habían quedado desgajadas en ediciones anteriores. En ellas el poeta copia el «Prendimiento de Antoñito el Camborio», con la indicación, bajo el título, de «romance gitano» (como antes, para Díez-Canedo). Su texto no difiere del editado por Prados en *Litoral* (*vid.* año 1926). A su fin comenta Lorca con clara visión sobre sus propios versos:

Dime si te gusta también. He querido que este romance tenga una gran solidaridad y gitanismo. *Las imágenes son puramente de actos y oficios del* chalán. *Naturalmente todavía no está. Sus ligerezas serán corregidas.*

13 DE FEBRERO

F. G. L. lee su conferencia sobre «La imagen poética en don Luis de Góngora» en el Ateneo granadino.

FEBRERO

Dentro de pocos días quiero marchar a Madrid. He arreglado mis libros. Han salido estupendos. Tres. Tienen, cosa que yo no creía, una rarísima unidad. Pero he de publicarlos los tres juntos porque se completan uno a otro y forman un conjunto poético de primer orden. *Estoy convencido. Su aparición puede ser, y así me lo aseguran todos los amigos, que están entusiasmados* con la idea, un acontecimiento íntimo. *Yo estoy decidido a esto. He trabajado en* pulir *cosas. Las suites arregladas quedan deliciosas y de un lirismo profundísimo. Son tres. Un libro de Suites. Un libro de Canciones cortas, ¡el mejor! Y el poema del cante jondo con las canciones andaluzas.* El romancero gitano *quisiera reservarlo y hacer un libro sólo de romances. Estos días he hecho algunos, como el de* Preciosa *y el «Prendimiento de Antoñito el Camborio». Son interesantísimos. Si me contestas pronto, te los mandaré. También he terminado la* Oda a Salvador Dalí, *que queda una gran pieza de ciento cincuenta versos alejandrinos.*

[...] Me siento capaz *de realizar una gran obra original y* tengo la fe *de que la haré. Necesito un secretario y un editor que tienen que salir. Yo soy capaz de crear, pero casi nulo de* realizar *prácticamente* lo creado. *Ahora esto que he hecho obligado por la necesidad ha sido a costa de un gran esfuerzo. Pero he disfrutado como no tienes idea. He visto* completas *cosas que antes no veía y he puesto en equilibrio poesías que cojeaban pero que tenían la cabeza de oro.*

[...] *El país [las Alpujarras] está gobernado por la Guardia Civil. Un cabo de Carataunas, a quien molestaban los gitanos, para hacer que se fueran los llamó al cuartel y con las tenazas de la lumbre les arrancó un diente a cada uno diciéndoles: «Si mañana estáis aquí* caerá *otro». Naturalmente los pobres gitanos mellados tuvieron que emigrar a otro sitio. Esta Pascua en Cáñar un gitanillo de* catorce años *robó cinco gallinas al alcalde. La guardia civil le ató un madero a los brazos y lo pasearon por todas las calles del pueblo, dándole fuertes correazos y obligándole a cantar en alta voz. Me lo contó un niño que vio pasar la comitiva desde la escuela. Su relato tenía un agrio realismo conmovedor. Todo esto es de una crueldad insospechada... y de un fuerte* sabor fernandino.

Carta a su hermano Francisco García Lorca, recogida en mi introducción al libro de éste, *Federico y su mundo,* Madrid, 1980, págs. XIX-XXI. Corrijo la fecha dada en la citada introducción, ya que la carta debe ser de la segunda mitad de febrero, antes de la publicación de la «Oda a Salvador Dalí» en *Revista de Occidente* (núm. de abril, XXXIV) y de la carta de 2 de marzo a J. Guillén que luego se cita. *EC*, págs. 229-231.

FINALES DE FEBRERO O COMIENZOS DE MARZO

En carta a M. Fernández Almagro (núm. 27, pág. 75) insiste en sus deseos de estrenar *Mariana Pineda* y escribe: «El asunto de mis libros está completamente resuelto. Ya te contaré cómo los voy a hacer. Quiero que salgan los tres en el mes de abril». Se trata, desde el principio, de *Suites, Poema del cante jondo* y *Canciones,* como esclarecí, con las precisiones esenciales, en el prólogo a Francisco G. Lorca, *Federico y su mundo*, págs. XX-XXI. Antes, mucho antes, ya Jorge Guillén enumeraba los tres libros y su proyecto de publicación en un acto vallisoletano, 8-IV-1926 *(infra)*. Adopto para la carta la fecha dada por C. Maurer, *EC*, pág. 331.

2 DE MARZO

Ahora trabajo mucho. Estoy terminando el Romancero gitano. Nuevos temas y viejas sugestiones. La guardia civil va y viene por toda la Andalucía. Yo quisiera poderte leer el romance eróti-co de la «casada infiel» o «Preciosa y el aire». «Preciosa y el aire» es un romance gitano, que es un mito inventado por mí. En esta parte del romancero procuro armonizar lo mitológico gitano con lo puramente vulgar de los días presentes, y el resultado es extraño, pero creo que de belleza nueva. Quiero conseguir que las imágenes que hago sobre los tipos sean entendidas por éstos, sean visiones del mundo que viven, y de esta manera hacer el romance trabado y sólido como una piedra. En componer el romance del «Gitanillo apaleado» he tardado mes y medio pero... estoy satisfecho. El romance está fijo. La sangre que sale por la boca del gitanillo no es ya sangre... ¡es aire!

Carta núm. 5 a J. G., ob. cit., págs. 83-84. El «Romance del gitanillo apaleado» debió ser uno de los romances desechados a
última hora del libro, tal vez porque quedó inacabado. No ha
de ser confundido, como hasta ahora se ha hecho, con la «Canción del gitano apaleado», cierre de la «Escena del teniente coronel de la Guardia Civil». Como se ha indicado, este y otros
diálogos habían de terminar con una canción, que no romance.
En el archivo de la familia del poeta se conserva el borrador
inacabado de un romance que presenta dos títulos: «Romance
de la gran paliza» y «La flecha en el seno». Cf. F. G. L., *Poeta en
Nueva York. Tierra y luna,* ed. Eutimio Martín, Barcelona, 1981,
pág. 214. Probablemente se trata de uno de los tres romances
que García Lorca dice estar escribiendo en 1929, en carta a su
familia, según he avanzado en mi introducción (pág. 10).

4 DE ABRIL

Publica «Romancillo» («Arbolé arbolé») en *El Estudiant*e, 2.ª
ép., 12 (Madrid, 1926), pág. 3. El romance se incorporaría, sin
su erróneo título, a *Canciones.* Falla conservó un recorte de la
revista con el romance, hoy en su Archivo de Granada. Recuérdese que formaba parte, en su origen, de *Lola la Comedianta.*

8 DE ABRIL

Lectura de poemas en el Ateneo de Valladolid, presentado por
Jorge Guillén. De acuerdo con la reseña periodística que luego
se cita, Lorca leyó «versos de *Canciones,* de *Cante jondo,* de *Romancero gitano,* de las deliciosas "suites" y, al final, como so-
lemne despedida, ese compendio didáctico, la "Oda didáctica
a Salvador Dalí", admirable monumento». *Cante jondo* aún no
había incorporado al título su condición de «poema» o «serie

unitaria de poesías», según la acepción entonces vigente, hoy en desuso.

Esta lectura es de capital importancia, pues Lorca presenta en Valladolid, con el padrinazgo de Guillén y ante Guillermo de Torre, entre otros, toda la obra que considera terminada (los tres libros citados), con avances del *Romancero* y la presentada en solitario de la «Oda didáctica a S. D.». En su presentación Guillén anuncia la publicación, para 1926, de los tres libros citados, y comenta cómo el poeta, «entre diversos empeños, va escribiendo su *Romancero gitano*».

9 DE ABRIL

Publicación en *El Norte de Castilla* (Valladolid) del «Romance de la luna luna de los gitanos», en versión que puede considerarse casi definitiva y que procedería de un manuscrito, como sugiere la anticuada grafía «ginete», tan repetida en autógrafos lorquianos y aún en uso en el XIX y comienzos del XX. El romance cierra la reseña anónima «Ayer en el Ateneo. Lectura de poesías por F. G. L.» En ella se recoge, tras breve entradilla, casi todo el texto de la entusiasta, rica y profética presentación de Jorge Guillén, quien la reprodujo entera en su *Federico en persona*, ed. cit., págs. 41-45. He aquí un pasaje:

La lírica de Lorca se resuelve, sin perder su propio carácter de lirismo, en una épica y en una dramática, desarrolla sucesos y pasiones, apela a la narración y al diálogo, al cuento infantil y a la leyenda trágica, concilia la imagen con el argumento. ¡Y qué riqueza extraordinaria en la invención, y qué esplendidez en la materia, y qué acento, Dios mío, qué acento y qué aliento! Candor y vigor, y una sutileza increíble en el capricho imaginativo y en lo delicado; y, sobre todo, la alegría; alegría poética y alegría humanísima de alegre arroyo transparente. [...] La memoria de Lorca es el más rico tesoro de la canción popular andaluza. Él ha recogido muchas, letra y canto, directamente. En esta dirección, su arte corre paralelo al de su gran amigo y maestro Falla. Por algo el sentido del ritmo en este poeta alcanza una variedad, una finura prodigiosas.

11 DE ABRIL

Francisco de Cossío glosa la lectura lorquiana en el mismo periódico citado: «Ensayos. Una lectura»:

¿Poeta popular? Hay muchos modos de ser popular. García Lorca ha tomado del pueblo lo más fino y sutil: el gesto, la actitud, el tono, el ritmo... Y dentro de las normas populares, cultiva, como en los viejos romanceros, el tema infantil, el legendario y el burlesco. Todos los versos parecen hechos para cantar. [...] Pero en el manejo del color tiene un sentido cubista. El color posee una significación plástica: exalta y completa la forma, jamás la mistifica. Esto quiere decir que en la poesía de García Lorca no hay ni un leve asomo de impresionismo. Y de aquí el contraste maravilloso: el andamiaje de la más refinada cultura de hoy, para elevar un edificio popular. Ello, posiblemente, no se ha visto nunca hasta ahora.

JUNIO

Mis libros los hago definitvamente en Málaga: dos de ellos, porque el Cante jondo *me lo edita espléndidamente mi amigo Edgar Neville, Conde de Berlanga [de Duero].*

Carta a su familia, que C. Maurer sitúa en la segunda semana del mes *(EC,* págs. 350-351). No volvemos a tener noticia de este proyecto, hijo probable de una conversación caída pronto en el olvido. Neville, escritor menor y cineasta original, fue buen conocedor del cante, como demostraría su película *Duende y misterio del flamenco* (1952). Aquí, primera noticia del acuerdo con Emilio Prados y Manuel Altolaguirre para la edición de los libros en la serie de suplementos de la revista *Litoral,* entonces inminente, donde sólo saldría *Canciones* (1927).

6 DE AGOSTO

Fecha en este día «Reyerta». Tacha un primer título, «Batalla campal», y añade el nuevo: «Reyerta de mozos», simplificado al fin en el libro. Se conserva en la Fundación FGL este autógrafo a tinta, probable copia en limpio, a pesar de sus correcciones. El romance está fechado en Lanjarón (Granada). El texto, a salvo de alguna corrección posterior (como «muslos / heridos de los jinetes» por «muslos / de los heridos jinetes»), coincide sustancialmente con el definitivo. Dos cuartillas; facsímil en *RG,* 1988.

Escribe el mismo día a Jorge Guillén (ed. cit., pág. 92; *EC,* págs. 360-361):

Estoy en Sierra Nevada y bajo muchas tardes al mar. ¡Qué mar prodigioso el Mediterráneo del Sur! ¡Sur, Sur! (Admirable palabra, sur.) La fantasía más increíble se desarrolla de un modo lógico y sereno. Los rasgos andaluces se entrelazan con rasgos de un norte fijo y tamizado.

Yo trabajo como siempre. Me he propuesto terminar el Romancero gitano. Aquí he hecho dos nuevos romances que me han costado un esfuerzo extraordinario. Además quiero dirigirte una epístola sobre la poesía y arte poética, que será un poema largo, monótono, *estructurado,* antidecorativo *y* latazo. *¡Ay, Poesía de mi corazón! ¡Ay, Retórica de mi voz!*

Uno de los romances aludidos no puede ser otro que «Reyerta», con autógrafo fechado en este día. Al publicarlo en *L'Amic de les Arts* (Sitges, 15-VII-1927), hace constar al pie: «Lanjarón (Granada) 1926». El otro romance no puede ser más que «San Miguel», copiado, junto con «Reyerta», en carta del mes siguiente a J. Guillén. En el Archivo F. G. L se conserva un manuscrito sin fecha de «San Miguel», pero con las mismas características (tinta, letra y papel) que el de «Reyerta»; su facsímil, en *RG*, 1988.

¿AGOSTO, 1926?

¡Si vieras cómo está Andalucía! Para andar hay que hacer galerías en la luz de oro como los topos en su medio oscuro. Las sedas brillantes miguelangelizan los culos de las mujeres opulentas. Los gallos clavan banderillas de lujo en el testuz del amanecer y yo me pongo moreno de sol y de luna llena.

Carta a José Bello Lasierra, *EC*, págs. 357-358. Juego de resonancias con el *Romancero* (y con otros poemas y prosas de la época): «Vienen manolas comiendo / semillas de girasoles, / los culos grandes y ocultos / como planetas de cobre» («San Miguel»); «Las piquetas de los gallos / cavan buscando la aurora» («Romance de la pena negra»); «Moreno de verde luna» («Prendimiento...»).

9 DE SEPTIEMBRE

En una importante carta a J. Guillén (ob. cit., págs. 98-104) copia los romances que titula «San Miguel Arcángel» y «Reyerta de mozos». Alude al primero como «este nuevo romance gitano», apostillando: «Esto es una romería». Los dos romances, revisados sobre los autógrafos citados, difieren poco (en especial, «Reyerta») de las versiones definitivas.

Cuatro días después J. G. escribe a Juan Guerrero Ruiz sobre el contenido del próximo «Suplemento» del diario de Murcia *La Verdad*, que los dos coordinan: *Se podría incluir «Reyerta de Mozos», romance gitano de Federico. Acabo de recibir carta suya –muy interesante, como todas las suyas. Yo le había pedido, a cambio de los que le enviaba míos, versos –con la intención artera, pérfida, de hacerlos llegar a* La Verdad. *¡Por Dios, que*

sean publicables! –me decía. Y en efecto: me ha mandado dos
romances: uno, de San Miguel Arcángel, imposible («enseña sus
bellos muslos», y otras cosas); otro le adjunto. Falta el permiso.
[...] Pero, lo doy por seguro. Reproduce este texto desconocido
C. Maurer, *EC,* pág. 371 n.

2 DE OCTUBRE

Pedro Salinas le agradece por carta «el hermoso romance gitano y la otra preciosa poesía» que había recibido, cuya iden-
tidad ignoramos. C. Maurer, «De la correspondencia...»,
pág. 67.

10 DE OCTUBRE

Publicación de «Reyerta» en *La Verdad. Suplemento Literario,*
núm. 59, Murcia (dejado aparte por J. G. «San Miguel»). En el
mismo número se anuncia la publicación como suplemento
de *Litoral* –es decir, en libro o *plaquette*– de *La sirena y el cara-*
binero, poema que Lorca no llegaría a terminar. Cf. J. Comincioli, ob. cit., pág. 160. ¿El anuncio es un simple eco de noticias
que Prados habría transmitido a Guillén? Sobre «Reyerta»
Fernández Almagro le contará a Lorca que Valle-Inclán «está
prendado del romance de *La Verdad* y muchas veces lo hace
recitar a Cipriano» [Rivas Cherif]. C. Maurer, en *EC,* pág. 391 n.

17 DE OCTUBRE

Cuando el castellano es apto para describir los elementos de la
naturaleza y flexible hasta el punto de estar dispuesto para las
más agudas cuestiones místicas, tiene fray Luis de Granada de-
lectaciones descriptivas de cosas y objetos pequeñísimos. Es fray
Luis quien, en la Introducción al símbolo de la fe, *habla de*
cómo resplandece más la sabiduría y providencia de Dios en las

cosas pequeñas que en las grandes. Humilde y preciosista, hombre de rincón y maestro de miradas, como todos los buenos granadinos.

De la conferencia sobre Soto de Rojas, «Paraíso cerrado para muchos, jardines abiertos para pocos. Un poeta gongorino del siglo XVII», en C. Maurer, ed., *Conferencias,* I, Madrid, Alianza Edit., 1984, pág. 135. El elogio defiende una estética, que Lorca asimila a Soto de Rojas y a Granada, y muestra el interés por la *Introducción,* uno de cuyos capítulos, «Martirio de la virgen Santa Olalla» (II, 19), está en el origen del «Martirio de Santa Olalla». *Vid.* M. Hernández, «Nuevas notas...», págs. XXXIV-XXXVIII.

¿23 DE OCTUBRE?

Tarjeta postal de Lorca y Prados a Jorge Guillén. Escribe el segundo: *Aún sigo aquí en Granada, donde me retiene Federico maravillándome con estas cosas. El lunes marcho para Málaga y empezará la tirada de* Litoral, *así es que puedes enviar esas correcciones, que queda tiempo. ¡Me llevo los libros de Federico! ¡Todos!* (EC, págs. 380-381). ¿Incluía ese «todos» exclamativo el *Romancero?* En las conversaciones, verbales o epistolares, de unos y otros –por medio Francisco G. Lorca y J. Guillén (más lejos, pero también presentes, P. Salinas y R. Alberti)–, el interés por *editar* a Lorca se convierte en un empeño común. M. Fernández Almagro, «el confesor» de intimidades literarias, influye también poderosamente.

Es de imaginar que Prados hablara del *Romancero* en aquellos días granadinos, pero Lorca lo daba aún por inacabado. Frente a algunas deducciones sin base alguna (C. de Paepe, ed., págs. 44-48), nada confirma que el poeta malagueño se llevara *el libro* de romances a Málaga, para su imprenta Sur y los suplementos de *Litoral.* Lorca seguirá hablando de «los tres» libros, equivalentes para él a «todos.

27 DE OCTUBRE

Aquí ha estado Emilio Prados (ayer se fue). Se ha llevado to-
dos mis libros y saldrán *cuanto antes. Te dedico uno* [Cancio-
nes] *en unión de Salinas y Guillén, mis mejores amigos. Las*
tres personas más encantadoras que he conocido. Dime qué te
parece. ¿Salen los tres al mismo tiempo o salen distanciados?
Contesta.
 [...] También va Emilio a hacer una preciosa impresión de la
«Oda» [a Salvador Dalí] *con dibujos y estatuas, para regalar a*
los amigos. Emilio me ha encargado una colección de libros de
canciones populares y romances que pienso organizar en segui-
da. En ellos saldrá a luz, por fin, el cancionero granadino, tan
importante para esta clase de estudios, todavía inédito. Como
ves, tengo una enormidad de trabajo.

Carta núm. 33 a M. F. A., ob. cit., pág. 80. Comincioli, pág. 160,
fecha la carta el día 26; C. Maurer justifica el cambio de día en
EC, pág. 382. Esta estancia de Prados en Granada pudo tener
como fin, aparte de las razones amistosas, recoger los tres libros lorquianos citados y confirmar la gran apuesta de *Lito-*
ral por Lorca, que habría sido tratada en correspondencia
previa con Prados hoy desconocida. Los proyectos de edición de la oda y el cancionero granadino nunca llegaron a
puerto.
 Para la reconstrucción de la amistad y relación editorial con
Prados carecemos aún de un documento esencial: los ordena-
dos «montones» de cartas que Lorca le dirigió y él conservaba.
Sobre ellas escribía Prados a Camilo José Cela en 1961, poco
antes de su muerte: «[...] me parece que se habrán perdido.
Pero el Banco de España guarda los muebles de mi casa y allá
en un cajón de mi mesa de trabajo estaban bien guardaditas en
montones». En Antonio Carreira, ed., «Presentación de un
epistolario de amistad. Cartas entre Emilio Prados y Camilo
José Cela», *El extramundi y los papeles de Iria Flavia,* II, 5
(1996), págs. 150, 154.

29 DE OCTUBRE

Carta de Emilio Prados, desde Málaga, a Jorge Guillén:

*Tengo ya aquí toda la obra de Federico. He tenido que traer-
me el original de todos los libros, para aquí yo despacio co-
piarlo en limpio y enviárselo a que lo corrija, pues, si no, era
imposible arrancarle a aquel hombre las cosas. Primero daré
como suplemento al primer número de la revista un libro suyo
de canciones y otro,* La amante, *de Alberti, y más tarde, dentro del mismo mes de noviembre, daremos los otros dos libros
de Federico, dejando el* Romancero gitano *para más tarde, en
una edición que estoy proyectando y que ya verá qué bien
queda.*

En C. Maurer, «De la correspondencia...», pág. 67, y en *EC*,
pág. 381 n. Prados, pues, hizo de «secretario» (como Lorca pedía en carta a su hermano) para la puesta en limpio de los originales. Actuó, además, como «diseñador gráfico» (que hoy
diríamos), pensando en el *Romancero;* no quiere decir esto, sin
embargo, que tuviera el libro en sus manos; Lorca le había entregado tan sólo tres romances (de su libro inacabado) para el
primer número de *Litoral.*

¿PRIMEROS DE NOVIEMBRE?

Carta de E. Prados a F. G. L.:

*[...] te escribo para que te des muchísima prisa en corregir tu li-
bro* [Canciones] *y enviarlo de nuevo, pues no debe retrasarse
por más tiempo su aparición. [...] Debías publicar antes que
nada* Romances gitanos. *Te conviene más por muchísimos senti-
dos y, además, tenemos pensado para ello una edición preciosa.
Adiós, piensa esto bien antes de arrancarte. Te envío todo lo que
tenía tuyo, menos los originales que diste a* Litoral *para los romances. Corrígelos bien, pues nosotros ya ves que no lo com-
prendemos.*

En C. Maurer, «De la correspondencia...», primeros de enero
de 1927, pág. 69; Roger Tinnell sugiere el mes de noviembre,
«Epistolario...», pág. 58.

8 DE NOVIEMBRE

¿Sabes que mis libros están ya en la imprenta? Te ruego me con-
testes a vuelta de correo esta pregunta. ¿Salen los tres a la vez?
¿O salen espaciados?
    Dedico uno [Canciones] *a Salinas, Melchorito y tú.*
    Soy más gallardo que su señoría. ¿Y esos poemas?
    A pesar de todo, no quiero dejar de enviarte este fragmento
del Romance de la Guardia Civil, que compongo estos días.
    Lo empecé hace dos años... ¿recuerdas?

> *Los caballos negros son.*
> *Las herraduras son negras.*
> *Sobre las capas relucen*
> *manchas de tinta y de cera.*
> *Tienen –por eso no lloran–*
> *de plomo las calaveras.*
> *Con el alma de charol*
> *vienen por la carretera*

Este trozo es todavía provisional. Ahora sigue... [Tras añadir
otros 54 versos (de «Jorobados y nocturnos» a «¿Quién te vio y
no te recuerda?»), indica: «dos versos faltan, etc., etc.». Añade
después:]
    Hasta aquí llevo hecho. Ahora llega la Guardia Civil y destruye
la ciudad. Luego se van los guardias al cuartel y allí brindan con
anís Cazalla por la muerte de los gitanos. Las escenas del saqueo
serán preciosas. A veces, sin que se sepa por qué, se convertirán en
centuriones romanos. Este romance será larguísimo, pero de los
mejores. La apoteosis final de Guardia Civil es emocionante.

Una vez terminado este romance y el «Romance del martirio de la gitana Santa Olalla de Mérida», daré por terminado el libro. Después no tocaré ¡jamás! ¡jamás! este tema. (Carta 14 a J. Guillén, ob. cit., págs. 108-110; en *EC*, págs. 392-394.)

SEGUNDA SEMANA DE NOVIEMBRE

No me contestas [corrijo por «contestes»] qué te parece, si deben salir los tres libros de una vez o separados. Dime.

[...] Ahora empiezo a trabajar. Termino el Romancero gitano y me hace cosquillas *un poema largo, inconcreto todavía, pero lírico, de un lirismo agudo y fabuloso de planos y rumores. No sé. ¡Pero saldrá! Tú sabes que yo acaricio la idea de este poema hace años.*

Carta núm. 40 a M. Fernández Almagro, ob. cit., pág. 92. Adelanto la fecha dada por Gallego Morell –Granada, 1927–, pues el poeta se hace eco de la carta ya citada de 27 de octubre. Tiene que ser, además, anterior a enero del 27, cuando se enfada con Prados, con implicación para la publicación de los tres libros sabidos. El «poema largo» podría ser «La sirena y el carabinero», citado del mismo modo en carta 5 a J. Guillén, ob. cit., pág. 84. C. Maurer precisa las fechas de esta carta: entre el 8 y el 15 de noviembre, en *EC*, págs. 390-391.

MEDIADOS DE NOVIEMBRE

Publicación en el número inaugural de *Litoral* (Málaga), págs. 5-11, de tres «Romances gitanos»: «I. San Miguel», «II. Prendimiento de Antoñito el Camborio», «III. Preciosa y el aire». Por la correspondencia de época que conocemos, este primer número de la revista malagueña, dirigida por E. Prados y M. Altolaguirre, debió aparecer a mediados del mes indicado.

29 DE NOVIEMBRE

De E. Prados a F. G. L., contestando a una carta desconocida en la que Lorca habría protestado por los errores y erratas de sus tres romances en *Litoral*:

Tu opinión sobre Litoral *la esperábamos con la natural impaciencia. ¡Hijo nuestro! Tenemos sobre nuestra conciencia, para ti, el haberte descabalado tus romances, para cuya impresión nos hemos atenido, claro, al original que conservamos.*

Pero lloramos contigo, por tu culpa. Es verdaderamente triste escribir lo que no se quiere y, hasta más, el olvidar copiar versos cuando se mandan a la imprenta. No creo que tus poemas hayan perdido nada de la extraordinaria belleza que poseen. Aquí en Málaga han tenido un rotundo éxito, lo que más ha gustado de la revista. Nosotros lo adivinamos y por eso te colocamos en el lugar preferente. La falta de material de cajas nos imposibilita enviar pruebas; si no, te la[s] hubiéramos enviado. Al gran sacrificio de tiempo y de dinero que nos supone Litoral *se unen estos disgustos, que, afortunadamente, no nos desalientan para seguir nuestra labor.*

Como hemos de imprimir todo lo tuyo, y para evitar estas cosas, te enviamos hoy por correo todo tu original. Corrígelo definitivamente y con toda claridad, a máquina, en copia última, y devuélvenoslo. Esto, por las circunstancias actuales de la imprenta, se lo exigimos a todos. [...]

Para corregir lo de los romances nos parece que, mejor que una hoja, es publicar como primer suplemento Romances gitanos. *Ya tenemos pensada la edición, que será la más bella y la que con más cariño haremos. Te agradeceríamos muchísimo copiaras definitivamente este libro y lo mandes para aquí cuanto antes. En él rectificaríamos nuestra revista, quedando a tu gusto el texto. Hemos terminado ya* La amante *[de Alberti] y hoy comenzamos con* Caracteres, *de Pepe Bergamín; luego haremos a Salinas, Cernuda. Si quieres salir el primero, date prisa, pues no podemos tener más tiempo las ediciones en casa. [...]*

Si te parece, también podemos poner una hoja suelta en el se-
gundo número, en donde vayan impresos, de la segunda forma
que nos has enviado, tus «Romances gitanos», y así rectificar
errores y equívocos.

En R. Tinnell, «Epistolario...», págs. 59-60. Modifico la descuidada puntuación de Prados. Por lo que se deduce, Lorca había
pedido una fe de erratas en hoja suelta para el segundo número
de la revista. Para ello debió enviar copia completa y corregida
de sus romances. Olvidaba, al parecer, que en los originales que
había proporcionado figuraban versos que había desechado
(«es verdaderamente triste escribir lo que no se quiere») y falta-
ban otros («y olvidar copiar versos cuando se mandan»). Enviados por carta o entregados en mano a Prados, los tres romances
no parecían corresponder a las versiones que Lorca juzgaba en
ese momento definitivas. Es lo que Prados, que recoge también
la opinión de Altolaguirre, le da a entender, echándole la culpa y
deduciendo dos soluciones: fe de erratas o libro entero de romances, que se anticiparía como primer suplemento de *Litoral,*
por delante de *Canciones.* Lorca se inclinará al fin por la oferta
que recibe de Revista de Occidente para su *Romancero.*

En cuanto a las dificultades de editar a Lorca a partir de
unos originales autógrafos, la letra difícil y con tachaduras,
correcciones, etc., Prados confesaba a Guillén: «Tengo aún todos sus originales *primeros,* pero... de ellos a la imprenta hay
que pasar antes por veinte mil líos desconocidos e indescifra-
bles; así es que sin una copia clara y definitiva es inútil intentar
nada. No conté yo con eso al traerme sus papeles». A Lorca,
pensando en su letra, le escribe: «Estoy neurasténico de tradu-
cirte del chino». En C. M., «De la correspondencia...», pág. 68.

DICIEMBRE

Según carta a José María Cossío (cf. mayo de 1927), F. G. L. fecha en este mes el romance «Prendimiento de Antoñito el
Camborio camino de Sevilla». La adscripción a esta fecha qui-

zá obedezca a una revisión del romance efectuada tras su publicación en *Litoral*. De los tres, éste fue el más afectado por los errores, de acuerdo con la carta que Lorca dirige a Jorge Guillén en enero de 1927 *(vid. infra)*.

En una entrevista olvidada, aparecida en México, declaraba el poeta:

Soy franco: he escrito unos romances que aspiro a que sean incorporados al Romancero. Con esa intención están hechos. Si no lo dijera, no tendría valor. El arte, amigo, es un juego, sí, pero un juego serio.

(Antonio Acevedo Escobedo [«Las cosas fueron así», *El Nacional*, 18-XII-1966] recoge este testimonio de las declaraciones del poeta en diciembre de 1926 al entonces corresponsal del periódico en Madrid, Orteguita. Agradezco el conocimiento de este texto a Francisco Giner de los Ríos.)

1927

PRIMEROS DE ENERO

Su libro de los toros estoy seguro que será delicioso. ¿Por qué no hacemos ahora el de los crímenes? Hay en los romances españoles una colección admirable. Sobre todo en la parte musical. En el Cancionero de Salamanca existen crímenes populares con una emoción maravillosa. Yo, en Granada, tengo varias preciosidades. ¿Va usted a poner melodías en su libro, ilustrando los romances? Sería precioso. El romance de Pepe-Hillo tiene música en diversas variantes. El romance del toro de Matilla de los Caños es magnífico y últimamente, en el siglo pasado, se hicieron varias melodías taurinas en Málaga, de un sabor andaluz verdaderamente emocionante. Cuénteme.

Mis dos romances los escribo ahora mismo. El primero de Antoñito el Camborio ha salido con enormes erratas en Litoral *–admirable revista de Málaga–. Por eso repito aquí la imagen del torero. El de Mariana Pineda va íntegro. He puesto un Caye-*

tano ¡que no sé quién es!... ni me importa, ¡pero es tan precioso nombre!

[...] Suplico corregir pruebas para evitar el desastre de Litoral.

Carta a José María de Cossío, en *EC,* ed. A. A. Anderson, págs. 409-410, cuya nueva fecha adopto. Lorca incluye en la carta un dibujo coloreado de un torero y añade en hojas distintas dos fragmentos autógrafos de «Prendimiento...» y el romance de la corrida de toros en Ronda, de *Mariana Pineda.* Fecha el «Prendimiento...» en «Diciembre de 1926»; del romance teatral escribe: «Hecho en 1922». Cossío le había solicitado poesía de tema taurino para su libro en preparación *Los toros en la poesía castellana. (Estudio y antología),* Madrid: CIAP, 1931, 2 vols.

3 DE ENERO

¿Quieres enviarnos en seguida, para el segundo número [de Verso y Prosa], *un romance gitano? O algo que no conozcan nuestros amigos, algo reciente. No seas cruel ni perezoso. Eres indispensable.* Necesitamos tu Poesía. *[...] Espero tu carta.* Sobre todo el romance. (Carta VI de J. Guillén a F. G. L., ob. cit., pág. 113.)

PRIMERA QUINCENA DE ENERO

Estoy dispuesto a dar mi cuota para Verso y Prosa. *Encantado. Y ya tengo varias suscripciones. Pero mandaros algo no puedo. Más adelante. Y desde luego no serán romances gitanos. Me va molestando un poco mi mito de gitanería. Confunden mi vida y mi carácter. No quiero de ninguna manera. Los gitanos son un tema. Y nada más. Yo podía ser lo mismo poeta de agujas de coser o de paisajes hidráulicos. Además el gitanismo me da un tono de incultura, de falta de educación y de poeta salvaje que tú sabes bien no soy. No quiero que me encasillen. Siento que me van echando cadenas. NO (como diría Ors).*

Habrás recibido Litoral. *Una preciosidad ¿verdad? Pero ¿has visto qué horror mis* Romances?

Tenían más de ¡diez! enormes erratas y estaban completamente deshechos. Sobre todos el del Antoñito el Camborio. ¡Qué dolor tan grande me ha producido, querido Jorge, verlos rotos, maltrechos, sin esa dureza y esa gracia de pedernal que a mí [me] parece que tienen! Emilio quedó en mandarme pruebas y no lo hizo. La mañana que recibí la Revista estuve llorando, así como suena, llorando de lástima.

Puse un telegrama a Prados y éste echa la culpa a mis originales imposibles, etc., etc. Pero, él, que me conoce, debía saber esto. Hoy mismo recibo todos mis originales con una lacónica carta rogándome los corrija y ponga en limpio... pero lo curioso del caso es que están copiados a máquina. Esto casi equivale a decirme que no quiere publicarlos. No sé si se le pasará el ataque. Yo me dirijo a él en este momento como a un editor. Porque aunque sea el libro de Canciones quiero editarlo. Además no es gitano.

Espero que todo se arreglará. Después de todo si yo intento publicar es por dar gusto a unos cuantos amigos y nada más. A mí no me interesa ver muertos definitivamente mis poemas... quiero decir publicados.

Carta 15 a J. G., ob. cit., págs. 114-115. Hago alguna corrección textual –en especial «cuota» en lugar de «nota»– a partir del facsímil de la carta reproducido en la edición italiana del mismo libro: *Federico in persona. Carteggio*, Milán, 1960.

PRIMERA QUINCENA DE ENERO

Pronto recibirás mi primer libro [Canciones]. Dedicado a ti, a Salinas y Guillén. Mis tres debilidades.

[...] Mis libros ya van a salir. Para muchos serán una sorpresa. Ha circulado demasiado mi tópico de gitanismo y este libro de

canciones, por ejemplo, es un esfuerzo lírico sereno, agudo, y me parece de gran poesía (en el sentido de nobleza y calidad, no de valor). No es un libro gitanístico. (Carta núm. 37 a M. F. A., ob. cit., pág. 90. *EC*, págs. 417-418.)

MEDIADOS DE FEBRERO

Escribe F. G. L. a José Bergamín:

A ver si este año nos reunimos y dejas de considerarme como un gitano, mito que no sabes lo mucho que me perjudica y lo falso que es en su esencia, aunque no lo parezca en su forma.

En Gallego Morell, ob. cit., pág. 52. Adopto la nueva fecha de A. A. Anderson, *EC*, págs. 432-433.

25 DE FEBRERO

Al mismo tiempo que le envío este poema, le mando mi felicitación por la preciosa revista Mediodía...
  Perdone usted mi tardanza, pero no sabía qué poema elegir.

(Envío de «Romance con lagunas» en carta a J. Romero Murube, núm. 90, ed. A. Gallego Morell, ob. cit., págs. 145-147. Corrijo la fecha de la carta de acuerdo con J. Comincioli, ob. cit., págs. 32-33. Cf. año 1921 de esta cronología para la fecha dada por el poeta en su manuscrito del romance, omitida por A. Gallego Morell y, de nuevo, por Anderson *[EC*, págs. 451-453].)

MAYO-JULIO

En algún momento de su larga estancia en Cataluña (tres meses) Lorca copia en una hoja de álbum, para el pintor uruguayo Rafael Pérez Barradas, un «fragmento del romance "El muerto de amor"», así apostillado al pie, con indicación de su fecha: 1927. Son doce versos, de «Brisas de caña mojada» a «tocaban acordeones». En esa breve tirada faltan, respecto a la versión definitiva, otros ocho, de «Tristes mujeres del valle» a «de cabelleras y nombres», que irán intercalados. Es probable que esos ocho versos sean de una revisión posterior del romance, pues Lorca marca aquí el carácter fragmentario mediante puntos suspensivos, sólo marcados a principio y fin. Ilustra el fragmento con un «retrato» de busto: dama joven con mantilla de madroños. En A. Rodrigo, «F. G. L.–R. B. "El Ateneíllo de Hospitalet"», *Ínsula*, 476-477 (1986), págs. 7-8; y M. H., *Libro de los dibujos*, 367, pág. 255.

PRIMERA QUINCENA DE MAYO

Ausente Lorca en Cataluña, Emilio Prados escribe a Francisco García Lorca sobre las posibles condiciones para la edición de *Canciones* como primer libro de los «cuatro» proyectados:

Éste se lo costeamos nosotros y nos ocupamos nosotros de su venta, etc., como con los demás, y luego, si tú crees que puede influir en el ánimo de él o de tu padre el que le enviemos, como a Alberti, la mitad del beneficio, se le puede enviar y, si no, reservarla para ayudar a la edición del Romancero gitano, *que tengo unas ganas enormes de imprimir, porque tengo pensado una maravilla tipográfica. ¡De verdad!* (En C. Maurer, «De la correspondencia...», pág. 70.)

17 DE MAYO

Publicación de *Canciones,* 1921-1924, Málaga, Litoral, Primer Suplemento.

1 DE JUNIO

La Gaceta Literaria dedica su número 11 (1-VI-1927) a un homenaje a Góngora en el tricentenario de su muerte. En la primera plana de la revista aparece, entre otras colaboraciones,

un «Romance apócrifo de don Luis a caballo», firmado por
F. G. L. Es un remedo burlesco del estilo gongorino, pero con
alusiones o imitaciones del lorquiano. En esta broma menor
«el viento, galán de torres», de «Arbolé, arbolé» *(Canciones),*
se convierte, por ejemplo, en «el viento, escultor de bultos / y
burlador de romanos», con eco también de «Reyerta».

El propio Diego aclaraba lo sucedido en carta posterior (13-
IX-27) a Lorca: «Mi broma de *La Gaceta Literaria* –justo casti-
go a tu incalificable deserción del homenaje a "don Lluís"–
surtió el efecto apetecido. Picaron muchos. [...] Mi ataque a
Valle-Inclán y mi broma a ti resultaron aisladas, desairadísi-
mas: flores equivocadas de juventud, en un panorama acomo-
daticio de jardín podrido académico». (En M. Hernández, «G.
D. y F. G. L.: correspondencia inédita y poemas», *Boletín de la
Fundación FGL,* 1 [XII-1987], págs. 21-22 y 34.)

La catalanización del nombre de Góngora alude a la de
Lorca en aquel momento: estreno de *Mariana Pineda* en
Barcelona, exposición de dibujos en las Galerías Dalmau,
amistad con Dalí, etc. En su «Crónica del centenario de
Góngora» *(Lola,* 2) Diego parece ampliar la nómina de los
autores del romance, pues habla de «la broma un tanto pesa-
da que le gastamos a Lorca», aunque es más probable que
ese plural sólo acoja al autor de la parodia y a sus editores.
La aludida pesadez debió estribar en la credulidad de abundantes lectores y, acaso, en el enfado del parodiado, molesto
(si lo estuvo) por la superficial interpretación del mundo de
sus romances. De nuevo, en la misma revista, véase mi artículo
y edición «Gerardo Diego *et alii:* jinojepas», con el romance
apócrifo, págs. 51-52, 55-56.

5 DE JUNIO

Joaquín Amigo, del grupo de la revista *gallo,* escribe a Lorca,
entonces en Cadaqués: *Paquito [Francisco García Lorca] tiene
un proyecto para editar en seguida, bajo vuestro control, y a*

todo lujo, los Romances. En C. Maurer, «De la correspondencia...», pág. 71. El proyecto (¿mera conversación de un día?)
muestra el propagado interés por el libro, es de suponer que
con la intención de incorporarlo a la serie que habría nacido al
costado de *gallo,* en imitación y en competencia con los suplementos de *Litoral.* En *gallo* se proyectó, entre otros libros, una
edición del *Paraíso* de Soto de Rojas, que habría llevado prólogo de Lorca.

JUNIO

Publicación del «Romance con lagunas» en *Mediodía. Revista
de Sevilla,* 7 (1927), págs. 6-7.
    Adopto la fecha de aparición sugerida por J. Comincioli,
ob. cit., pág. 33, dado que el número de *Mediodía* no especifica
más que el año.

24 DE JUNIO

Estreno en Barcelona de *Mariana Pineda,* definida en la carta
a Cossío ya citada como «Romance popular en tres estampas y
un cromo».

JULIO

Publicación de «Romance de la luna luna», *Verso y Prosa,* 7
(Murcia, 1927), pág. 2.
    Mientras tanto, Lorca estaba en Cadaqués, en casa de los
Dalí. Tenía ya compuesta la música de «Prendimiento de An-
toñito el Camborio», romance que cantaba con el acompaña-
miento, a la guitarra, de Regino Sainz de la Maza (A. Rodrigo,
G. L. en Cataluña, Barcelona, 1975, pág. 168). Según recoge de
Ana María Dalí la misma investigadora, los poemas que más

solía recitar F. G. L. eran «Canción otoñal», «Baladilla de los tres ríos», «Cancioncilla sevillana», «Arbolé arbolé», «Romance de la luna, luna», «Preciosa y el aire», «Romance gitano» *(sic)*, «La monja gitana», «Prendimiento y muerte de Antoñito el Camborio» *(sic)*, «Romance de la Guardia Civil española» y «Romance sonámbulo».

JULIO

Publicación en *L'Amic de les Arts* (Sitges, 1927), pág. 45, de «Reyerta de gitanos», con la dedicatoria, luego suprimida, «A mis amigos de "L'Amic de les Arts"». El romance aparece fechado en «Lanjarón (Granada), 1926».

FINES DE JULIO

He trabajado bastante en nuevos y originales *poemas, pertenecientes ya, una vez terminado el* Romancero gitano, *a otra* clase de cosas.

Desde Cadaqués a M. F. A., *EC*, pág. 494. La declaración sobre el *Romancero* ha de ser relativizada, por poco que sea. Sustancialmente el libro está cerrado y el poeta considera una etapa de producción conclusa. Seguirá trabajando, sin embargo, en determinados romances.

JULIO-SEPTIEMBRE

Al dorso de un autógrafo del «Martirio de Santa Olalla» Lorca escribe ocho versos, pertenecientes al borrador del «Romance de la Guardia Civil española», aunque serán desechados. Los transcribo, prescindiendo de las tachaduras:

Poder inmóvil y oculto.
Orbe de peces y arena.
Coches corriendo hacia un alba
de congeladas abejas.
Meditaciones y espejos
duermen en las arcas viejas.

Espejos de llanto verde
interrumpen el poema
que se arrastra por la orilla
con dos versos de madera.

En la misma cara del papel, a modo de entretenimiento, traza con la misma pluma y tinta dos composiciones abstractas en miniatura. Página y versos carecen de fecha, pero estos apuntes gráficos sí son datables, por su evidente relación con dibujos de 1927, durante y después de la estancia del poeta en Cataluña. Reafirmo, pues, el año que di en *Dibujos*, 1986, pág. 241, núm. 309.

2 DE SEPTIEMBRE

El artículo de Baeza debe haber producido un gran revuelo entre ciertas personas. [...]
Cuando termine el romance «Martirio de santa Olalla», te lo enviaré para que lo conozcáis. Ahora trabajo en varias cosas.

Carta a S. Gasch, *EC*, pág. 521. Anderson identifica el artículo de Ricardo Baeza: «Marginalia. De una generación y su poeta», *El Sol*, 24-VIII-1927, donde Lorca aparece definido como «el primer lírico español contemporáneo».

OCTUBRE

Publicación de «Muerto de amor» en *Litoral*, núms. 5-6-7 *(Homenaje a don Luis de Góngora)*, págs. 31-33.

22 DE OCTUBRE

Homenaje a F. G. L. con motivo del triunfo de *Mariana Pineda*
en Madrid. Asisten, entre otros, Ramón Gómez de la Serna,
Giménez Caballero, Pedro Salinas, Claudio de la Torre, Fernando Vela, Juan Chabás, Antonio Espina, Melchor Fernández
Almagro, Dámaso Alonso, Américo Castro, Max Aub. Lorca
recita «Martirio de Santa Olalla», «La Guardia Civil» y «La casada infiel», romances «que electrizaron a los comensales».
(*La Gaceta Literaria*, núm. 21, Madrid, 1-XI-1927, pág. 5.)

¿PRIMEROS DE NOVIEMBRE?

Como sabéis, publico el Romancero en la Revista de Occidente,
cosa que tiene gran importancia si se tiene en cuenta que la Revista
no quiere publicar versos, y esto es una rara excepción y, por tanto,
un honor. Saldrá en seguida el libro, para diciembre. Yo ruego a Pa-
quito que busque los romances en mi papeles y me los mande, pues,
aunque yo me los sé de memoria y los he vuelto a escribir, sin em-
bargo me gustaría tenerlos. Ahora tengo obligación de escribir en
todos los números de la Revista *para hacer propaganda del libro.*

En cuanto termine de corregir pruebas y demás asuntos,
me iré a Granada, que ya voy teniendo gana. (Carta a su familia, *EC*, pág. 528.)

¿NOVIEMBRE?

Aunque tú estás en no escribirme, yo no quiero dejar de hacer-
lo. Solamente para mandarte un abrazo y el anuncio de la publi-
cación de mis romances en la Revista de Occidente. Estoy ate-
rrado porque son espantosamente malos.

Carta 6 a J. Guillén, ob. cit., pág. 88. Fechada por Guillén en
1926, debe ser, probablemente, más tardía, de los últimos me-

ses de 1927, como indicaría la publicación de «romances gita-nos» en la revista y editorial mencionada. Anderson la sitúa en noviembre: *EC*, págs. 530-531.

DICIEMBRE

Conmemoración en Sevilla del tricentenario de la muerte de Góngora. En uno de los actos, y entre diversas intervenciones, *Lorca y Alberti, los dos primos –entre sí– de la poesía andaluza, representaron un trozo de las* Soledades, *en el cual lució «el bie-naventurado Alberti a cualquier hora» una propísima voz ronca de náufrago en tierra. Por último, Jorge Guillén, Diego, Lorca y Alberti leyeron en competencia versos suyos, después de otros ajenos de jóvenes presentes y ausentes. Era verdaderamente ad-mirable, inaudito, oír a Guillén enjaretar impertérrito, persua-sivo, doctoral, décima tras romance y romance tras décima, y al rematar cada pase de la matemática y abstracta faena escuchar las taurinas, gloriosas ovaciones del senado. Después, los ro-mances de Federico señalaron el alza máxima del entusiasmo, mientras Adriano del Valle, de pie sobre su escaño, se despojaba de sus prendas de vestir en un arrebato de enajenación.* (Firma esta nota «La Brillante Pléyade», nombre que con sentido bur-lesco Gerardo Diego retoma de la prensa sevillana del momen-to en su artículo «Coronación de Dámaso Alonso» *(Lola. Ami-ga y Suplemento de Carmen,* núm. 5, Sigüenza, abril, 1928.)

28 DE DICIEMBRE

Carta de Gerardo Diego, con noticias sobre las dos revistas hermanas que dirigía, *Carmen* y *Lola:*

Espero impaciente tu tributo al divino Fr. Luis. Hazlo ensegui-da. Porque pronto se cerrará el plazo de admisión. Y tú eres im-pepinable. En el 2 va El Emplazado *solo, por razones de ajuste y ponderación. Los nombres son: Larrea, Salinas, Tú, [José] So-*

moza, Bergamasco [José Bergamín], [Luis Álvarez] Piñer, Villa-
lón y Yo. Un número espléndido. Ya está en la imprenta. Y Lola
preparada con tres jinojepas.

Diego esperaba de Lorca el poema que se titulará «Soledad», con el epígrafe «Homenaje a fray Luis de León». Ya había recibido los romances «El emplazado» y «Martirio de Santa Olalla», de los que sólo publicará el primero.

JUNIO-DICIEMBRE

En fecha indeterminada, pero tras la lectura del «Romance
apócrifo» en *La Gaceta Literaria,* Lorca escribe una autopáro-
dia de su *Romancero,* que mantendrá inédita. En realidad, más
parece parodia de la burla de Diego, lo que puede explicar la
baja calidad de los versos de este «Romance»:

> Por el camino yacente
> vienen cuatro bandoleros:
> Luis Martínez, Juan Rodríguez,
> cabezas de lacre ardiendo,
> los otros dos en la sombra,
> sombra de nardo y acero,
> sombra que sombra y resombra,
> sombra de montes en pelo.
> Llevada por los hijares,
> está la luna mordiendo.
> Osuna cruza las piernas,
> carne de brisa y de nervio,
> mientras los mares relinchan
> y se afeitan los luceros.
> A la mitad del camino
> hay cuatro cruces de leño.
> Bajo las cruces reposan
> Pedro, Juan, Francisco, Etcétero.

Tengo en cuenta la doble edición: en C. de Paepe, ed., *Roman-*
cero..., pág. 305, y en M. García-Posada, ed., *F. G. L., Antología*

modelna, Granada: Comares, 1995, pág. 67. Al tratarse de un borrador con tachaduras, he introducido nueva puntuación para facilitar su lectura. Ha de advertirse que Lorca, que se entretuvo un momento con estos versos, ni los pasó a limpio ni volvió a acordarse de ellos en toda su vida.

1926-1927

Lorca dará por terminado el *Romancero gitano* en agosto de 1927. Se lo dice por carta a M. Fernández Almagro, su máximo confidente literario en estos años. Es una verdad incompleta, como luego señalaré, pues en noviembre del mismo año todavía trabaja en el «Martirio de Santa Olalla». Sin embargo, en esencia ha de tenerse por cierta la afirmación: en el verano de 1927, tras su vuelta de Cataluña, Lorca considera un ciclo de su producción cerrado. Con anterioridad a esa fecha, por consiguiente, habrían sido ya escritos los romances «San Rafael», «San Gabriel», «Muerte de Antoñito el Camborio», «Muerto de amor», «El emplazado» y «Thamar y Amnón». Son los romances sobre los que tenemos menos referencias cronológicas.

De acuerdo con la hipótesis que he anticipado, en 1927 corrige el «Romance con lagunas», y todo sugiere que es entonces cuando decide su inclusión en el libro. En la puesta en limpio y ordenación del conjunto debió añadir el título que figurará en primer lugar, acogiéndose a un término, «burla», de temprano uso en sus escritos. El don Pedro del romancillo salta también a ese título. La razón es clara: en el libro figurará entre los «romances históricos». Pero subsistirá, para que no halla equívoco, el título primero bajado a subtítulo, único en todo el libro.

Por otro lado, Lorca trabajó conjuntamente sobre «San Gabriel» y «Thamar y Amnón». En un borrador del primero *(Autógrafos,* pág. 156) el poeta añade, en columna distinta y en posición inversa, estos dos versos:

> Sobre mis ojos sin freno
> agujas de vidrio clavas.

Al dorso de la misma cuartilla, y junto a versos del inacabado romance, se halla una lista de títulos bajo el genérico de «Romances míticos». Los enumero, pero intercalando las fechas conocidas: «Thamar. / Preciosa. [2-III-1926] / Luna luna. [29-VIII-1924] / Olalla» [nov. de 1926 y nov. de 1927]. La huella de los dos octosílabos citados se vislumbra en el borrador de «Thamar y Amnón» *(Autógrafos,* págs. 184 y 186). Transcribo los versos afectados, incluyendo las variantes tachadas entre corchetes:

> Thamar [bésame] bórrame los ojos
> con [los hilos de tu] tu saliva de escarcha
> mis hilos de sangre tejen
> una estrella arrebatada.
> [Si me quito la camisa
> qué me darás]
> Déjame tranquila hermano:
> Son tus besos en mi espaldas *(sic)*
> [como un enjambre de avispas]
> [finas agujas me clavan.]
> Avispas y vientecillos
> en doble enjambre de flautas.

El texto definitivo supone una puesta en limpio y clarificación de este borrador:

> –Thamar, bórrame los ojos
> con tu fija madrugada.
> Mis hilos de sangre tejen
> volantes sobre tu falda.
> –Déjame tranquila, hermano.
> Son tus besos en mi espalda
> avispas y vientecillos
> en doble enjambre de flautas.

Los dos versos primeros parecen pertenecer a una versión previa, de la que habría quedado un reflejo final en el manuscrito editado por M. Nadal. Aunque esa hipótesis sea matizable, incluso discutible, cabe deducir que el poeta trabajó en «San Gabriel» en fechas próximas a «Thamar y Amnón» y cuando ya estaban compuestos, en secuencia progresiva, el «Romance de la luna, luna», «Preciosa y el aire» y «Martirio de Santa Olalla». Esto no exige que el «Martirio» estuviera terminado, pero su mención nos lleva a una fecha probable: noviembre de 1927. Las listas de títulos parecen propias del final del proceso de escritura, cuando surge el deseo de ordenación. A su vez, el manuscrito del «Martirio» editado por M. Nadal fue, en principio, el usado para la puesta en limpio del libro; es decir, corresponde a un momento final y tardío.

El *terminus ad quem* es, pues, amplio, pero me atrevo a suponer que «Thamar» y el «Martirio» son, en su desarrollo último, del año 1927, aunque hubieran sido iniciados en el año anterior, en torno a noviembre de 1926. Abro un abanico tan amplio porque las hipótesis son aquí resbaladizas: nada exige que todo lo escrito sobre una hoja, de texto a anotaciones, corresponda a un mismo día, ni que un título suelto se ahorme a un texto existente. Otro dato: el manuscrito parcial del «Romance de la Guardia Civil española» que se conserva en la FFGL ofrece en su primera hoja un título extraño: «Martirio de Santa Olalla gitana de Mérida». Cabe pensar que el romance está pensado en ese momento, pero el poeta sólo tiene su título. Debajo escribe un largo fragmento de «La Guardia Civil», romance que envía por entonces a Guillén como inacabado (8-IX-1926). Pero aún hay versos de este romance en el manuscrito de la FFGL que he datado en 1927. Por último, una anotación en prosa al dorso de la hoja 2 de «Santa Olalla» (*Autógrafos*) sólo es datable en este mismo año, tras la estancia catalana del poeta. La mención de «dolor y fisiología fría» remite a la «fisiología de la sangre», motivo procedente de Dalí. (*Vid.* M. Hernández, «G.L. y S. Dalí: del ruiseñor lírico a los burros podridos (poética y epistolario)», en L. Dolfi, ob. cit. pág. 276.)

«San Gabriel» tendría contacto con una etapa desconocida de «Thamar», en 1926. En torno a noviembre habrían sido pensados o iniciados «Thamar» y «Olalla», que culminarían al año siguiente. Por otro lado, el romance dedicado a Sevilla en la figura de san Gabriel debió suscitar de inmediato el correspondiente a Córdoba, simbolizada en san Rafael, ya escrito el dedicado a Granada en la figura del tercer arcángel. Los romances de las ciudades andaluzas serían, pues, de 1926, no sólo «San Miguel». El manuscrito del romance bíblico recoge en recuadro dos títulos más, aparte del propio: «San Gabriel» y «San Rafael». La mención apoya la hipótesis de la citada proximidad cronológica en la redacción, al margen de las etapas discernibles.

Finalmente, en el borrador de «El emplazado» (publicado por primera vez en enero de 1928) el poeta copia en el doblez de la hoja final, y también en posición inversa a la escritura del romance (*Autógrafos,* pág. 170), la lista siguiente: «Thamar / Guardia Civil / San Gabriel / Muerte de Antoñito el Camborio / Don Pedro enamorado / Romance del emplazado». Esta enumeración de títulos debe referirse a romances en trance de revisión o de terminación. La mención del «Romance del emplazado» en lugar último, y al pie del mismo borrador del poema, da a entender que los previamente citados estaban ya escritos, rematados o no. La exclusión del «Martirio...» puede explicarse por su pertenencia a los «Romances míticos». Esto plantearía el problema de la doble inclusión en sendas listas de «Thamar y Amnón», pero no parece que pueda avanzarse más en el terreno de las hipótesis.

1928

ENERO

Publicación de «El emplazado» en *Carmen. Revista chica de la poesía española,* 2 (Santander).

«Por razones de ajuste y ponderación», había escrito Diego (28-XII-1927), *Carmen* reproduce sólo un romance de los dos enviados por Lorca. El otro era «Martirio de Santa Olalla». Se deduce por carta posterior del mismo Diego (9-II-28): «Hemos devuelto al joven Solís (sin Rivadeneyra) el autógrafo de tu Sta. Olalla, conforme a lo estipulado». Ignoro quién era este Solís, que acaso poseía el autógrafo como regalo del poeta. Para más precisiones, M. H., art. cit., págs. 23, 27, 35-37.

Publicación de dos «Romances gitanos» en *Revista de Occidente*, 55 (Madrid, 1928), págs. 40-46: «I. La casada infiel», «II. Martirio de santa Olalla».

20 DE ENERO

Si Dalí termina pronto el servicio, será delicioso estar juntos. Yo hago mis cuentas y, si Dios quiere, lograré ir a Barcelona. Como sabes, mi Romancero *está en puertas. Si puedo, os llevaré yo mismo los ejemplares.* (Carta a Sebastià Gasch, *EC*, pág. 545.)

FINES DE ABRIL O PRIMEROS DE MAYO

Como sabéis, el libro de los romances no se había publicado por la cosa bárbara de que mi editor quería tres romances más. Y esto está muy mal. Toda la gente está de mi parte, como es natural. Por fin yo he hablado con Ortega [José Ortega y Gasset] y el libro se empieza a trabajar mañana sin dilación. Papá ve las cosas muy negras a veces. Así que este asunto está arreglado. (Carta a su familia, *EC*, pág. 563.)

¿MAYO?

En carta con membrete de la Universidad Central de Madrid (actual Complutense), Facultad de Filosofía y Letras, alguien, de firma ilegible, le escribe a Lorca:

Querido amigo: ¿No quiere usted ocuparse de la cubierta de su libro y ayudarme en ello? Le indiqué que viniera por la Revista y hablaríamos, y que acaso –según me han sugerido– hiciera bien [?] algunos de esos dibujos que Vd. mismo hace. ¿No quiere usted venir y hablar de esto? Sentiría mucho que luego estuviera usted quejoso de la cubierta, por no haber querido ocuparse de ella. Dígame qué piensa hacer. (En C. Maurer, «De la correspondencia...», pág. 72, donde indica para la fecha: «verano».)

28 DE MAYO

Mi libro va muy adelantado y tendrá una magnífica prensa seguramente. Hacen la friolera de tres mil quinientos ejemplares y esperan un formidable éxito de venta. (Carta a su familia, *EC*, pág. 565.)

¿MAYO-JUNIO?

La misma persona que le solicitaba un dibujo para la cubierta (¿Fernando Vela?) le escribe:

Por desgracia estaban tirados los pliegos 1 y 2, como ve usted por las capillas que le adjunto. De los pliegos 3 y 4 recibirá usted segunda vez pruebas. Y en adelante recibirá usted pruebas dos veces de cada pliego.

En C. Maurer, «De la correspondencia..., págs. 72-73. Acaso el poeta quiso introducir una corrección en los dos pliegos ya tirados de su *Romancero* (lo que totaliza sus 32 páginas primeras); de ahí el «por desgracia» editor. El proceso de edición que aquí se describe fue en todo caso cuidadoso, pues el autor recibió pruebas y capillas (que no se han conservado), de modo que pudiera rectificar hasta el último momento. Se desprende que a partir del tercer pliego recibió incluso segundas pruebas.

JUNIO

En las hojas de publicidad editorial de *Revista de Occidente* (VI, LV, junio 1928) aparece en recuadro la siguiente indicación: «PUBLICACIONES DE LA REVISTA DE OCCIDENTE / EN BREVE: / COLECCIÓN "NOVA NOVORUM" / FEDERICO GARCÍA LORCA / PRIMER ROMANCERO GITANO».

MEDIADOS DE JUNIO

Queridísimos padres: Hoy se está empezando a encuadernar mi libro. Lleva una preciosa portada que yo mismo he dibujado. Creo que estará precioso. (En *EC*, pág. 567.)

JULIO

Se publica en este mes el *Primer romancero gitano,* tal como señalan las mencionadas hojas de publicidad de *Revista de Occidente* (VI, LVI, julio 1928). Precio del volumen: 3 pesetas. F. G. L. consigna al frente del libro las fechas de composición: 1924-1927.

Escribió evocativamente Luis Amado Blanco («Meridiano español. Hace un año», *Patria*, La Habana, 4-11-1937):

Lo recuerdo, paseo madrileño de Castellana adelante, en aquellas noches inolvidables de finales de julio de 1928, con el dibujante y cineasta Santiago Ontañón, recitándonos sus romances gitanos aún no publicados. Hacía mucho calor y en el pequeño estanque, bajo el Museo de Historia Natural, al lado del Hipódromo, las ramas enfriaban el caliente brillar de las estrellas, mientras escuchábamos, estremecidos. Luego se ponía a cantar, a contar historias de su tierra, auténticas a fuerza de falsas, a llenar la noche de gritos y de entusiasmos dispersos, pero envolventes. Donde estaba Federico no había nadie más que él. Lo llenaba todo y hasta taponaba los aguje-

ros, invisibles, por donde se mete el tedio [...]. Él era como un largo río que se está dando siempre, y siempre está lo mismo. Inagotable, jamás dejaba de trabajar. Porque arte era su conversación, el gesto, la risa bronca y literaria.

26 DE JULIO

Queridísimos padres: Dos días estoy con el pie en el estribo y no me he marchado [a Granada] porque el éxito de mi libro está siendo una cosa tan bárbara que me han dado ya grupos distintos de amigos dos o tres comidas.

Los ejemplares puestos a la venta se agotan y se puede decir que hacía muchos años que un libro no levantaba este gran entusiasmo. Yo estoy dedicando ejemplares y preparando la parte de prensa aquí y en América.

Aunque este libro no dé millones, es un libro que cimienta mi prestigio de poeta, y yo soy más que eso. (En *EC*, págs. 569-570.)

Acaso en estas fechas dedica e ilustra ejemplares con dibujos propios para diversos amigos. Agrupo aquí las distintas noticias existentes. Se conocen los ejemplares dedicados al pintor canario Néstor Fernández de la Torre, a su amiga granadina Emilia Llanos, a Dámaso Alonso, a quien aparece dedicado «Preciosa y el aire», y a Juan Guerrero Ruiz («Romance de la Guardia Civil española»). Se sabe de uno perdido, para Rafael Méndez («Reyerta»). Otro ejemplar semejante, también con dibujos, habría sido el entregado a Rafael Martínez Nadal («Martirio de Santa Olalla»), del que hay noticia indirecta. Parece impensable que Manuel de Falla no recibiera su ejemplar, acaso ilustrado, pero entre los libros del músico no se conserva ningún *Romancero gitano*. En el dedicado a Emilia Llanos dibuja y colorea al pastel un san Rafael y un Antoñito el Camborio, enfrentados a sendos romances («Córdoba» y «Prendimiento»). El primer dibujo recrea la figura del arcángel, custodio de Córdoba, que se encuentra en la ermita de San Miguel el Alto, del Sacromonte granadino. El segundo, primero de una larga serie, obedece al patrón de belleza masculina con que está descrito el san Gabriel sevillano: «anchos hombros, fino talle». Un nuevo verso parece evocar el rostro del gitano: «boca triste y ojos grandes». El poeta estilizará esta figura en dedicatorias futuras de su libro o al frente de «Prendimiento» y «Muerte», el gitano con un atuendo tradicional del XIX que recuerda ciertas figuras de grabados románticos. *Vid.* M. H., *Libros de los dibujos...,* págs. 111, 217-218 y 260-261.

JULIO-SEPTIEMBRE

Aparecen en prensa y revistas numerosas reseñas del libro. En ellas se juzga la consagración de un poeta –anunciado por *Canciones* y *Mariana Pineda*– y se dictamina, a la vez, sobre el valor de la nueva poesía. De la tácita polémica suscitada se hará eco, entre otros, Salvador Dalí. Uno de los críticos, Luis G. de Valdeavellano, señala la casual y feliz coincidencia en la aparición del *Primer romancero gitano* y la *Flor nueva de romances viejos,* de Ramón Menéndez Pidal: «Compárense ambos romanceros y se verá qué gallardamente resisten el contraste los romances modernos de García Lorca» («Un romancero gitano», *La Época,* 28-VII-1928). Ricardo Baeza, con desbordado entusiasmo, compara el significado del libro lorquiano con la reforma lírica promovida por Rubén Darío y añade: «Muy antigua y muy moderna, sin proponerse ni una cosa ni otra, no sé de poesía, dentro de su concisión, más diversa, ni de horizonte con más ecos y en que hablen más voces. A la vez popular y erudita (con una utilización de los motivos populares en la que convendrá detenerse), de acento a la vez modernísimo y arcaico, tan pronto trágica, como lírica, como humorística, y esencialmente dramática en todo momento, ella nos ofrece todos los registros, desde el plástico en toda su gama hasta el puramente musical» («Los *Romances gitanos* de F. G. L.», *El Sol,* 29-VII-1928). Por último, Juan Chabás elogia la «evidente calidad genial» de los romances, pero desliza el reproche de «fácil evasión» y «graciosa pirueta» subyacente en parte del libro, como si al poeta le hubiera faltado «mayor disciplina, más noble ahínco para penetrar dentro de sí mismo». Subraya críticamente Chabás: «No es el interés menor de estos romances el de contener el anuncio de una mayor severidad de García Lorca» *(La Libertad,* 1-IX-1928).

AGOSTO

A José Antonio Rubio Sacristán, desde Granada:

El libro lo recibirás dentro de unos días y en él verás el romance que te dedico, «Muerte de Antoñito el Camborio». Recibiré ejemplares de Madrid mañana y en seguida te lo certificaré. (*EC,* pág. 572.)

A Ricardo Baeza, también desde Granada:

He leído sus dos artículos en El Sol. *Mil gracias. Los agradezco en el alma. No creo que el libro se merezca tanto, pero desde luego yo estimo la valentía de usted para dar su opinión en un país donde la crítica literaria es un minueto con variaciones. Muchas gracias.* (*EC,* pág. 574.)

22 DE AGOSTO

Desde la Embajada de España en Washington, D. C., Edgar Neville acusa recibo de un ejemplar del *Romancero* y escribe al poeta:

Veremos de hacer cosas ahí, pero cosas realmente bien. Cuento contigo. Haremos la película de Antoñito del Camborio, todo con decorados y con un cielo artificial cuajado de estrellas. Filmaremos toda la escena de «La casada infiel» tomada desde lejos para evitar los detalles escabrosos y, mientras tanto, el vitáfono, impresionado por ti, recitará los romances». (En C. Maurer, «De la correspondencia...», pág. 73.)

7 DE SEPTIEMBRE

Lorca recibe una valiosa carta de Salvador Dalí sobre el *Romancero*. El pintor militaba en una vanguardia que cabe definir como sincrética, dominada por una vía surrealista, pero con principios, para él aún vigentes, del futurismo. De ahí su reacción negativa ante el libro. Con sus caprichosas y expresivas ortografía, puntuación y sintaxis (aquí se regularizan las dos primeras) escribía:

He leído con calma tu libro, del que no puedo estarme de comentar algunas cosas. Naturalmente me es imposible coincidir en nada a la opinión de los grandes puercos putrefactos que lo han comentado, Andrenio, etc., etc. [...]

I. Me parece lo mejor del libro lo último, *martirio de santa Olalla, pedazos del incesto* –Rumor de rosa encerrada–. *Estas cosas pierden ya buena parte del costumbrismo, son mucho menos anecdóticas que las demás, etc. Lo peor me parece lo de aquel senyor que se la lleva al río: la gracia, producto de un estado de espíritu basado en la apreciación deformada sentimentalmente por el anacronismo. [...]*

II. Tu poesía actual cae de lleno dentro de la tradicional. En ella advierto la sustancia poética más gorda que ha existido, ¡pero! ligada en absoluto a las normas de la poesía antigua, incapaz de emocionarnos ya ni de satisfacer nuestros deseos actuales. Tu poesía está ligada de pies y brazos a la poesía vieja. Tú quizás creerás atrevidas ciertas imágenes, pero yo puedo decirte que tu poesía se mueve dentro de la ilustración de los lugares comunes más estereotipados y más conformistas.

[...] Te quiero por lo que tu libro revela que eres, que es todo al revés de la realidad que los putrefactos han forjado de ti: un gitano moreno de cabello negro, corazón infantil, etc., etc. [...].

Adiós. Creo en tu inspiración, en tu sudor, en tu fatalidad astronómica. (En «S. D. escribe a F. G. L.», ed. R. Santos Torroella, *Poesía*, 27-28 (1987), págs. 88-94 y 144-146.)

En este mismo día Vicente Aleixandre describía a Lorca desde Miraflores de la Sierra (Madrid) su visión del libro en términos absolutamente dispares. Aleixandre alude en su carta al «Romance sonámbulo», a «Muerto de amor» y al «Romance de la Guardia Civil española»:

Aquí en Miraflores, donde estoy pasando el verano, he recibido el Romancero gitano, *que tan cariñosamente me dedicas. Te agradezco del todo la magnífica, la vehementísima fiesta de poesía a que me ha convidado. Pocas veces –¡qué pocas!– puede uno tan totalmente abandonarse a una fruición de belleza tan íntegra con tan absoluto contento. [...]*

Eso dirá todo el que lea tu libro: «Pero yo ya no soy yo; soy lo que tú me haces estar siendo». Esto de enajenarse uno en el poeta, de sentirse uno fuera de sí, en él, creo que no ocurre en la poesía de hoy con nadie con la intensidad que contigo. A fuerza de intensidad es aniquiladora: desplaza toda sensación de ser autónomo para trocar al lector en pura y pasiva lira, frenética de resonancias, en las manos del poeta creador. Es una maravilla. Es una delicia y un tormento. «Vivo porque existes, poesía –está uno sintiendo oscuramente en su interior–, pero me moriré cuando enmudezcas... Y, si no callas, me moriré de exaltación, porque me matas». Muerto de poesía: hermosura. Entre la vida y la muerte, tu poesía, en trance, tiène de las dos, aunque triunfe la vida.

[...] Todo igualmente eficiente, resuelto. Difícilmente elegir. Imposible. Todo tan trabado y armónico que cada romance se articula con el siguiente para alzar esa ciudad de poesía gitana, tuya, indestructible [...]. (Vid. M. Hernández, «G. L. y V. A.: papeles perdidos, líneas halladas», en Andrés Soria Olmedo, ed., *Lecciones sobre F. G. L.*, Granada, 1986, págs. 225-226.)

8 DE SEPTIEMBRE

Ayer me escribió una carta muy larga Dalí sobre mi libro (¿lo has recibido ya?; yo te lo mandé hace días). Carta aguda y arbitraria que plantea un pleito poético interesante. Claro que mi libro no lo han entendido los putrefactos, aunque ellos digan que sí.

A pesar de todo, a mí ya no me interesa nada o casi nada. Se me ha muerto en las manos de la manera más tierna. Mi poesía tiende ahora otro vuelo más agudo todavía. Me parece que un vuelo personal. (A Sebastià Gasch, *EC,* pág. 85.)

10 DE SEPTIEMBRE

V. Aleixandre refrenda su opinión en carta a J. Guillén:

Federico G. L. me ha enviado sus Romances Gitanos [sic]. *¡Magnífico libro! ¡Qué ímpetu! No hay manera de resistirse. En cierto modo se puede decir que es una poesía «que le hace a uno polvo».* (En Gabriele Morelli, ed., *De V. A. a Juan Guerrero Ruiz y Jorge Guillén. Epistolario,* Madrid, 1998, pág. 86.)

FINES DE OCTUBRE-PRIMEROS DE NOVIEMBRE

Queridísimo Melchorito: Mil gracias por tu admirable artículo, que es seguramente lo mejor que se ha hecho de mi libro.

Me ha gustado en extremo y me ha satisfecho tu modo de apreciar, tu sentido común, que casi no tiene ninguna persona que ejerce la crítica.

Gracias, Melchor.

En *EC,* pág. 597. Lorca se refiere a la reseña de M. F. A. sobre el *Romancero* aparecida en *Revista de Occidente,* LXIII (1928), págs. 373-378.

15 DE DICIEMBRE

Yo no soy gitano. [...] Andaluz, que no es igual, aun cuando todos los andaluces seamos algo gitanos. Mi gitanismo es un tema literario y un libro. Nada más. (E. Giménez Caballero, «Itinerarios jóvenes de España: F. G. L.», *La Gaceta Literaria,* Madrid; reproducida en este mismo volumen, págs. 160-163.)

JULIO-DICIEMBRE

Ramón Menéndez Pidal, que hubo de sentirse aludido por la reseña de García de Valdeavellano, traza en unas notas personales su opinión negativa sobre el libro lorquiano. Son notas que dejaría inéditas y sin datación. Acaso fueron escritas en el otoño:

Poesía de oscuridad, metáforas difíciles. Su «luna de pergamino» es designación metafórica clara dentro del sistema de violencia, pero hay asociaciones inconexas, como «silencio de cal y mirto», y otras inasequibles, como «el mar baila por la playa / un poema de balcones».

Dificultad de acertijo. A veces arcanidad impenetrable. La poesía del Romancero gitano *no es un estado elevado del ánimo, un estado de intuición efusiva del mundo, sino un violento esfuerzo de metaforización. Y la metáfora unas veces es poesía, otras veces es pura retórica, y otras veces es un humilde y dificultoso rompecabezas.* (En Joaquín Pérez Villanueva, *Ramón Menéndez Pidal. Su vida y su tiempo,* pról. Rafael Lapesa, Madrid: Espasa-Calpe, 1991, págs. 254-255.)

1929

PRIMEROS DE ABRIL

Queridísimos padres: [...] No he marchado antes porque estoy en tratos de arreglo de la segunda edición del Romancero gitano. *Será mejor que la primera y quiero que lleve tres romances más que estoy haciendo.*

EC, págs. 605-606. A. A. Anderson cita una carta de Miguel Benítez Inglott con esta mención: «Aquel romance del "ángel herrero" ¿está terminado?» (2-VIII-1930). Lorca había vuelto sobre la idea que le había sido propuesta (¿por Fernando Vela?) en 1928, y que entonces había rechazado con vehemencia, acudiendo incluso al apoyo de Ortega y Gasset. Los tres romances no fueron añadidos. Conservamos, sin embargo, un romance exento, aparentemente inacabado y en borrador: «Se fueron todos corriendo». Se trata a todas luces de un manuscrito neoyorquino (1929-1930). Ofrece tres títulos, el primero de ellos tachado e ilegible. Se vislumbran dos palabras: «...ojo del caballo» (¿«Romance del...»?). Sí se leen, al margen, otros dos títulos superpuestos: «Romance de la gran paliza» y «La flecha en el seno». No es seguro que ninguno de ellos corresponda al romance escrito en estas dos hojas. El primero recuerda el «Romance del gitanillo apaleado» *(supra,* 2-III-1926); el segundo reaparece, ahora tachado, en el manuscrito de «Nacimiento de Cristo», de *Poeta en Nueva York.* A pesar de los problemas que estos datos plantean, títulos y versos parecen confirmar el deseo de ampliar el *Romancero.*

Di el romance y analicé en detalle los hechos en «Inédito de F. G. L.», *Diario 16,* Suplemento Culturas, 31-III-1990; transcribí el original en *Manuscritos neoyorquinos. «Poeta en Nueva York» y otras hojas y poemas,* Madrid: Tabapress, 1990, págs. 232-233. Volvió a darlo como inédito Christian de Paepe, ed. cit., págs. 301-302, con correcta lectura de un gerundio imposible en el v. 3: «buscando». Véase transcripción depurada del romance en apéndice final.

18 DE MAYO

Tras estrenar en Granada *Mariana Pineda* Lorca realiza en el teatro del Hotel Alhambra Palace una «Audición poética», con programa impreso e índice de poemas, que divide en tres partes, correspondientes a *Libro de poemas, Canciones* y *Romancero.* Lee ocho romances de su libro, por este orden: «Romance de la luna, luna», «Preciosa», «La monja gitana», «Romance de la pena negra», «Prendimiento», «Muerte de Antoñito el Camborio», «Burla» y «Romance sonámbulo». Programa reproducido en catálogo del Museo Nacional Reina Sofía, *F. G. L. (1898-1936)*, Madrid: TF, 1998, pág. 122.

1929-1930

En fecha indeterminada, pero durante su estancia en Nueva York, redacta García Lorca una «Nota autobiográfica» *(OC*, I, págs. 1167-1168), en la que vuelve a recalcar como antes en carta a Guillén:

El gitanismo es tan sólo un tema de los muchísimos que tiene el poeta; pero no fundamental en su obra, ni mucho menos persistente. El Romancero gitano es un libro en el que el poeta ha acertado por el tono del romance y por tratarse de un tema de su tierra natal; pero no se puede clasificar a este poeta de ambición más amplia como un cantor de esta raza y nada más.

1930

En La Habana ilustra con nueve dibujos un ejemplar de la segunda edición, que convierte en pieza excepcional, para Rafael Suárez Solís. Aparte de tres viñetas, sobresalen las interpretaciones gráficas del «Romance sonámbulo», «La monja gitana», «Romance de la pena negra», «San Rafael», «Prendimiento» y «Muerto de amor». M. H., *Libro de los dibujos...*, págs. 219-220.

Otro ejemplar de valor es el dedicado, con tres dibujos, a Félix Lizaso, también en La Habana: cesto de frutas, payaso con careta en la mano, y gitano y puñal en portadilla de «Muerte de Antoñito el Camborio». En *F. G. L. (1898-1936)*, págs. 258 y 260.

1931

15 DE ENERO

Yo creo que el ser de Granada me inclina a la comprensión simpática de los perseguidos. Del gitano, del negro, del judío..., del morisco que todos llevamos dentro. Granada huele a misterio, a cosa que no puede ser y, sin embargo, es. Que no existe, pero influye. [...] El Romancero gitano *no es gitano más que en algún trozo al principio. En su esencia es un retablo andaluz de todo el andalucismo. Al menos como yo lo veo. Es un canto andaluz en el que los gitanos sirven de estribillo. Reúno todos los elementos poéticos locales y les pongo la etiqueta más fácilmente visible. Romances de varios personajes aparentes, que tienen un solo personaje esencial: Granada...* (R. Gil Benumeya, «Estampa de G. L.», *La Gaceta Literaria*, Madrid; *OC*, II, págs. 939-940.)

1932

MAYO

Dedica e ilustra con cinco dibujos un ejemplar de la segunda edición para Carlos Martínez Barbeito en Santiago de Compostela. Destacan, sobre sendas portadillas, un *San Miguel en Granada* y un gitano bajo media luna negra en «Muerte de Antoñito el Camborio».

1933

En su conferencia «Cómo canta una ciudad de noviembre a noviembre», pronunciada en Buenos Aires el 26 de octubre, recordaría García Lorca sobre el verano granadino:

Todo el romancero se vuelca en boca de los niños. Las más bellas baladas no superadas por ningún poeta del Romanticismo, las más sangrientas leyendas, los juegos de palabras más insospechados. Aquí los ejemplos son inagotables. Vamos a escoger uno que cantan los niños de algunos pueblos y las niñas de la Plaza Larga del Albaicín.

En la noche de agosto no hay quien no se deje prender por esta melodía tierna del romance del duque de Alba.

> *[Se oyen voces, se oyen voces,*
> *se oyen voces en Sevilla,*
> *que el duque de Alba se casa*
> *con otra y a ti te olvida...]*

(En Francisco García Lorca, *Federico y su mundo*, 2.ª ed., ed. M. H., págs. 481-482.)

14 DE OCTUBRE

El Romancero gitano *no es un libro popular, aunque lo sean algunos de sus temas. Sólo son populares algunos versos míos, pero sólo en minoría. El romance de «La casada infiel», por ejemplo, sí lo es, porque tiene entraña de raza y de pueblo y puede ser accesible a todos los lectores y emocionar a todos los que lo escuchen. Pero la mayor parte de mi obra no puede serlo, aunque lo parezca por su tema, porque es un arte, no diré aristocrático, pero sí depurado, con una visión y una técnica que contradicen la simple espontaneidad de lo popular.* («Llegó anoche F. G. L.», *La Nación*, Buenos Aires; se reproduce en mi edición de *Bodas de sangre* en esta Biblioteca de autor [1998], págs. 221-226.)

DICIEMBRE

Con el sello de Sur, el mismo de la prestigiosa revista argentina dirigida por Victoria Ocampo, se publica en Buenos Aires la tercera edición del *Primer romancero gitano*, terminada de imprimir «en los últimos días» de 1933, según el colofón. La que autor y editores debieron considerar cuarta edición del libro, no recogida en las bibliografías, es una tirada aparte de la tercera, en formato mayor y carente de retrato. En la página de créditos lleva este texto justificativo: «De este libro se han impreso aparte de la edición popular cien ejemplares de lujo que constituyen la presente especial edición... de los cuales diez señalados de A a J fuera de comercio y noventa ejemplares numerados de 1 a 90 en papel Ingres Italy... todos firmados por el autor...» Tomo estos datos del ejemplar H, que lleva impresos los nombres de Federico García Rodríguez y Vicenta Lorca Romero, padres del poeta.

1934

Se me olvidó deciros de que [sic] *ha hecho una admirable edición del* Romancero gitano, *de tono popular, con una preciosa foto mía, y que ayer salió otra edición de lujo, que es una maravilla. Nunca he tenido yo una edición más espléndida.* (Carta a su familia, *EC,* pág. 793.)

Dedica e ilustra ejemplares de su edición de lujo; entre otros, a Victoria Ocampo, directora de *Sur,* a la actriz Lola Membrives, que le ha estrenado *Bodas de sangre* y *Mariana Pineda* en Buenos Aires, y al periodista Pablo Suero. Destaca este tercer ejemplar, con una viñeta y dos dibujos excepcionales: *Gitano con gola y sombrero de mago* (portadilla del «Romance de la luna, luna») y *Gitano bajo el llanto de la luna* (al pie de una página del «Prendimiento»). En M. H., *Libro de los dibujos...,* págs. 223-224 y 261.

Durante su estancia en los Países del Plata, se suceden las dedicatorias (con o sin dibujo) sobre ejemplares del *Romancero* de «tono popular», tanto en Buenos Aires como en Montevideo. Destaco tan sólo las líneas que escribe en el ejemplar dedicado a Pablo Neruda en la primera ciudad: «Para mi queridísimo Pablo, uno de los pocos grandes poetas que he tenido la suerte de amar y de conocer». En E. Rodríguez-Monegal, *El viajero inmóvil. Introducción a P. N.*, Buenos Aires: Losada, 1966, pág. 163.

1935

Se suceden en el mismo año la quinta y sexta edición del *Romancero gitano* en la editorial Espasa-Calpe, Madrid. El dibujo de la cubierta es una viñeta de una media luna con motivo vegetal y lágrimas, con juego cambiante de tintas según edición. *Vid.* M. H., *Libro de los dibujos...*, págs. 224-225.

26 DE SEPTIEMBRE

La distinguida escriptora alemanya que viu entre nosaltres, Etta Federn Kohlhaas, está preparant una traducció completa del Romancero gitano *de García Lorca. En un dels romanços, va trobar els versos següents:*

> detrás va Pedro Domecq
> con tres sultanes de Persia.

Ara bé, a Alemanya ningú non sap qui ès Pedro Domecq ni coneixen la seva marca. Aixi, doncs, la senyora Federn-Kohlhaas va posar, en alemany:

> darrera va... *la vídua Cliquot*
> amb tres sultans de Pèrsia.

En diferentes penyes literàries es discutia molt aquesta versió que molts jutjaven improcedent. Un amic en va assabentar el mateix Lorca, el qual –contràriament al que s'esperava– exclamà: –Hombre, no está mal... ¡Tiene muchísima gracia!

(En *Mirador* [Barcelona, 26-IX-1935]. La entrevista completa, en M. H., ed., *Yerma*, Madrid: Alianza Edit., 1998, págs. 185-189.)

7 DE OCTUBRE

Ayer di una lectura de versos para todos los Ateneos Obreros de Cataluña, y se celebró en el teatro Barcelona. Había un público inmenso que llenaba el teatro y luego toda la Rambla de Cataluña estaba llena de público que oía por altavoces, pues el acto se radió. Fue una cosa emocionante el recogimiento de los obreros, el entusiasmo, la buena fe y el cariño enorme que me demostraron. Fue una cosa tan verdadera este contacto mío con el pueblo auténtico que me emocioné hasta el punto que me costó mucho trabajo empezar a hablar, pues tenía un nudo en la garganta. Con una intuición magnífica subrayaron los poemas, pero cuando leí el «Romance de la Guardia Civil» se puso de pie todo el teatro gritando: «¡Viva el poeta del pueblo!» Después, tuve que resistir más de hora y media un desfile de gentes dándome la mano: viejas obreras, mecánicos, niños, estudiantes, menestrales. Es el acto más hermoso que yo he tenido en mi vida. [...]

Mañana doy una lectura comentada del Romancero en la Universidad, organizada por los estudiantes. Ya no queda ni una invitación.

El separatismo de Cataluña es un mito, y una demostración de que son auténticos españoles son estas pruebas grandes de españolismo que me dan, ya que yo soy tan representativo de España.

Carta a su familia, *EC*, pág. 816. Anderson la fecha el 7 u 8 de octubre. La lectura tuvo lugar un domingo, con motivo del primer aniversario de la revolución de Asturias. Fue organizada por el Ateneo Enciclopédico Popular de Barcelona en colaboración con varios ateneos de Barcelona. La entrada era gratis. *Vid.* A. Rodrigo, *García Lorca en Cataluña*, págs. 338-347. La llamada por Lorca «lectura de la Universidad» tuvo lugar el día 9 en la Residencia de Estudiantes de Barcelona.

9 DE OCTUBRE

He escollit a aquest fi el Romancero *per ésser la meva obra més popular i la de més unitat fins avui. L'anomeno «gitano», no perquè sigui própiament gitano, sinó perqué canto Andalusia i el gitano n'és la cosa més pura i més veritable. Els gitanos no són aquelles gents que van pels pobles, espellifats y bruts; aquells són hongaresos. Els veritables gitanos són una gent que mai han robat ni van espellifats. En el meu llibre, per tant, non hi ha panderetes ni americanes fins a la cintura ni res de tot això, com est pot suposar equivocadament. En el meu llibre hi ha un sol personatge. Un sol personatge que omple de cap a cap l'obra. Aquest personatge és «la pena», que no té res a veure amb la tristesa, amb el dolor, ni amb la desesperació. «La pena» és una mena d'ombra interior, profunda. Es més aviat del cel que de la terra. [...]*

De «La poesia i els estudiants. El recital de G. L. y Margarida Xirgu a la Residència», *L'Humanitat,* Barcelona, 12-X-1935. Más datos, en «Notas al texto», para la conferencia-recital sobre el *Romancero.* En las palabras preliminares Lorca introdujo una curiosa variante en Barcelona: la diferencia entre gitanos y húngaros. El texto parece, no obstante, síntesis del periodista, no traducción directa de las palabras del poeta.

1936

ENERO

–No lo vas a creer, de puro absurda que es la cosa: pero es verdad. Hace poco me encontré sorprendido con la llegada de una citación judicial. Yo no podía sospechar de lo que se trataba, porque, aun cuando le daba vueltas a la memoria, no encontraba explicación a la llamada. Fui al Juzgado. ¿Y sabes lo que me dijeron allí? Pues nada más que esto: que un señor de Tarrago-

na, al que, por cierto, no conozco, se había querellado por mi «Romance de la Guardia Civil española», publicado hace ya más de diez años en el Romancero gitano. *El hombre, por lo visto, había sentido de pronto unos afanes reivindicatorios, dormidos durante tanto tiempo, y pedía poco menos que mi cabeza. Yo, claro, le expliqué al fiscal minuciosamente cuál era el propósito de mi romance, mi concepto de la Guardia Civil, de la poesía, de las imágenes, del surrealismo, de la literatura y de no sé cuántas cosas más.*

–¿Y el fiscal?

–Era muy inteligente y, como es natural, se dio por satisfecho. El bravo defensor de la Benemérita se ha quedado sin lograr su propósito de procesarme.

(A. Otero Seco, «Una conversación inédita con F. G. L.» *Mundo Gráfico*, Madrid, 24-II-1937; *OC*, II, págs. 1088-1089.)

FINES DE MAYO-PRIMEROS DE JUNIO

El joven estudiante granadino Eduardo Rodríguez Valdivieso copia de su mano el *Romancero* de un ejemplar prestado, ya que carece de recursos para comprarse uno propio. Al comentárselo un día al poeta, éste decide ilustrarle la copia con cinco dibujos, a los que añade una arborescente firma de dedicatoria y mínima viñeta lunar al pie del «Romance de la luna, luna»; entre los dibujos, unas manos cortadas, una gitana con peineta bajo la media luna y un san Rafael. M. H., *Libro de los dibujos...*, págs. 225-226.

Esquema cronológico

Se presenta en este esquema una síntesis de los datos recopilados y justificados con anterioridad. El orden de los romances reproduce el del libro (1928). Se da, junto al título, la fecha o fechas de composición, en algún caso hipotéticas. Se señala mediante siglas, como simple recordatorio, el origen de los manuscritos pertenecientes a dos colecciones primeras, de las que existe reproducción facsimilar: autógrafos de Rafael Martínez Nadal y autógrafos de la Fundación Federico García Lorca. Al margen se sitúan los de tres romances para Enrique Díez-Canedo, marcados también con siglas, y otros que fueron recibidos por distintos amigos en cartas.

Lorca interpretó o ilustró gráficamente sus romances en los dibujos que realizó, desde 1928, sobre ejemplares diversos dedicados a amigos, periodistas y escritores. Pueden recorrerse estas interpretaciones en mi catálogo de los dibujos lorquianos (1986 y 1990) y, de modo sucinto, en la cronología razonada que antecede a este esquema.

1. *Romance de la luna luna.* ¿1923?-1924.
   Primera redacción en 1923, según coherente relato de J. Mora Guarnido.
   Ms. de 29-VII-1924 (RMN).
   En *Proa,* 11 (Bs. As., junio, 1925), datado en «Granada, 1925».

Ms. de enero de 1926, copia en carta de M. F. A., donde se
anuncia como «este romance gitano nuevo».
En *El Norte de Castilla* (9-IX-1926).
En *Verso y Prosa,* 7 (Murcia, julio 1927).
Ms. de Montevideo, 1934, para J. M. G., con datación del
romance en 1926.

2. *Preciosa y el aire.* 1926.
Ms. de 28-I-1926 (EDC).
2-III-1926; comentado, pero no transcrito, en carta a J. Guillén.
En *Litoral,* 1 (Málaga, nov., 1926).

3. *Reyerta.* 1926.
Ms. fechado en Lanjarón (Granada), 6-VIII-1926 (FFGL).
Ms. Copia en carta a J. Guillén (9-IX-1926).
En *La Verdad,* 59 (Murcia, 10-X-1926).
En *L'Amic de les Arts,* 15 (Sitges, 30-VI-1927).

4. *Romance sonámbulo.* 1924.
Ms. de 2-VIII-1924 (FFGL).
Fines de agosto de 1924: mencionado en carta a M. F. A.
Enero, 1926: ¿mencionado en nueva carta a M. F. A. como
«el romance de los barandales altos»?

5. *La monja gitana.* 1924.
Ms. de 20-VIII-1924 (RMN).

6. *La casada infiel.* 1926.
Ms. de 27-I-1926 (RMN).
Enero de 1926: ¿mencionado en carta a M. F. A. como «El
romance de Adelaida Flores y Antonio Amaya»?
2-III-1926. Citado en carta a J. Guillén como «el romance
erótico de "la casada infiel"».
22-X-1927. Lectura pública del romance.
En *Revista de Occidente,* 55 (Madrid, enero 1928).

7. *Romance de la pena negra.* 1924.
   Ms. de 30-VII-1924 (RMN).
   Enero de 1926: mencionado en carta a M. F. A. como «El romance de la pena negra en Jaén».

8. *San Miguel.* 1926.
   Escrito probablemente a finales de julio o primeros de agosto en Lanjarón (Granada), 1926.
   Ms. sin fecha (FFGL).
   9-IX-1926: copiado para Jorge Guillén como «este nuevo romance gitano».
   En *Litoral,* 1 (Málaga, nov., 1926).

9. *San Rafael.* ¿1926?
   Ms. sin fecha de la parte II en dos versiones: borrador y versión en limpio (RMN).

10. *San Gabriel.* ¿1926?
    Ms. sin fecha, dos hojas: copia en limpio de la parte I; copia de trabajo, parte II (RMN).

11. *Prendimiento de Antoñito el Camborio en el camino de Sevilla.* 1926.
    Ms. de 20-I-1926 (EDC).
    Ms. en carta de fines de enero de 1926, a M. F. A.
    Ms. Fragmentos copiados en carta a José María de Cossío (enero, 1927), con fecha para el romance de «Diciembre de 1926».
    En *Litoral,* 1 (Málaga, nov., 1926).

12. *Muerte de Antoñito el Camborio.* ¿Enero de 1926?

13. *Muerto de amor.* ¿1926-1927?
    Ms. fragmentario (los primeros 18 vv.) sin fecha (RMN).
    Ms. fragmentario (12 vv.), mayo-julio de 1927; copia en álbum para R. Barradas de «El muerto de amor», con fecha de 1927.
    En *Litoral,* 5-6-7 (Málaga, oct., 1927).

14. *El emplazado.* ¿1927?
    Ms. sin fecha (RMN).
    En *Carmen,* 2 (Santander, enero 1928).

15. *Romance de la Guardia Civil española.* 1924 y 1926-1927.
    Enero de 1926. Mencionado por su título (se supone que en proceso de escritura), en carta a M. F. A.
    Ms. sin fecha de los versos 1-72 (FFGL). 1926.
    Ms. sin fecha de los versos 72-82 y 81-124 (RMN); ¿nov., 1926?
    8 de noviembre, 1926. Copia parcial para J. Guillén del romance «que compongo estos días», pero añade: «Lo empecé hace dos años».
    22-X-1927. Lectura pública del romance.

16. *Martirio de Santa Olalla.* ¿1926-1927?
    8-XI-1926. Citado como no terminado en carta a J. Guillén, sin copia de ningún verso.
    2-IX-1927. Trabaja de nuevo en el romance, según carta a Sebastià Gasch.
    Ms. sin fecha del romance completo (RMN).
    22-X-1927. Lectura pública del romance.
    Diciembre de 1927: G. Diego maneja un ms. para su posible edición en la revista *Carmen.*
    En *Revista de Occidente,* 55 (Madrid, enero 1928).

17. *Burla de Don Pedro a caballo. Romance con lagunas.* 1921 y 1927.
    Ms. «Romance con lagunas», 28-XII-1921 (EDC).
    Ms. «Romance con lagunas», «28 de diciembre, 1921-1927», para revista *Mediodía,* 7 (junio, 1927).

18. *Thamar y Amnón.* ¿1926-1927?
    Ms. sin fecha (RMN).

Notas al texto

1. «Primer romancero gitano»

De acuerdo con Rafael Martínez Nadal (F. G. L., *Autógrafos,* I, Oxford, 1975, pág. XXI de la Introducción), García Lorca contó con su colaboración amistosa para la puesta en limpio y copia mecanografiada del manuscrito del *Romancero,* de este modo dispuesto para su entrega a la imprenta quizá en noviembre de 1927. La transcripción se habría realizado, siguiendo la costumbre del poeta, en dos tiempos: copia primera en limpio y, después, una vez realizadas las correcciones definitivas y el añadido de las palabras no entendidas por el mecanógrafo, copia segunda y última. Según el recuerdo de Martínez Nadal, el poeta «se llevó todas las copias, incluso las primeras, algunas con muchas correcciones». No obstante, ni en el archivo de *Revista de Occidente,* editora del libro, ni en el de la familia del poeta se ha conservado ninguno de los dos apógrafos.

Narra Martínez Nadal que el poeta le entregó como regalo el manuscrito de ocho romances completos y fragmentos de otros tres, que ha reproducido facsimilarmente en el volumen antes citado. Ha de recordarse aquí otra edición: la de los citados autógrafos de la FFGL, reproducidos en un admirable facsímil (1988). Incluidos en cartas, o como autógrafos sueltos,

Lorca realizó una serie relativamente numerosa de otras copias para diversos amigos. De todas ellas he ido dejando constancia en mi cronología. Gracias a la generosa amabilidad de Francisco Giner de los Ríos, pude en su día hacer uso de una fotocopia de la colección de poemas que el poeta entregó a Enrique Díez-Canedo en 1923 y 1926. Como he indicado, forman parte de esa colección tres romances autógrafos. Hice referencia a uno de ellos, el «Romance con lagunas», y a su fecha de composición, 1921, en la primera edición de este volumen. Añadí nuevos datos sobre los mismos autógrafos en 1983, dado que dicha colección había sido dada a conocer, en sus noticias esenciales y poemas inéditos, por M. García-Posada en F. G. L., *Poesía, 2. Obras II,* Madrid: Akal, 1982.

Del cotejo de los autógrafos e impresos con las versiones de la *princeps* (1928) surge una duda de cierta entidad: si la puntuación del *Romancero* obedece siempre a la voluntad del poeta o es obra del copista. Tal vez fuera posible establecer la divisoria entre los sistemas de puntuación de cada uno, como hipotético medio de fijar la puntuación del autor, en aquello que se aparta de la norma académica, sobre una base fiable. El problema, además de intrincado, quizá sea irresoluble. Pero es que, además, el poeta fiaba a otra persona la fijación de sus textos. Su intervención en el proceso no es más que una prueba de la autoridad que las versiones resultantes reciben. Han de hacerse, sin embargo, algunas aclaraciones.

García Lorca, del mismo modo que incurría en curiosas faltas de ortografía (como otros egregios escritores), apenas tenía en cuenta unas normas académicas de puntuación. Razones de expresividad oral, o de expresividad a secas, han inducido a diversos escritores a guiarse por un sistema personal en ese campo. Entre otras figuras, cabe citar a Valle-Inclán, Blas de Otero y Juan Goytisolo. Con García Lorca el problema que se plantea es lo deliberado o no de sus rupturas frente a la norma común. Ya en carta del año 26 a su hermano suspira por «un secretario y un editor». Sospecho que el primero no debía cumplir, en su intención, el mero papel de amanuense

fiel de unos manuscritos más o menos descifrables. El copista
debía salvar los errores ortográficos y fijar la puntuación del
texto bajo un criterio aceptable para el autor. El hecho de que
casi todos estos primeros transmisores de la obra lorquiana
fueran amigos del poeta no profesores o académicos ha dado
pie para que se hable de la «peculiaridad» de la puntuación
lorquiana. (Compárese la *princeps* del *Romancero* con la primera parte del *Diván del Tamarit,* impresa en vida del poeta.)
Aunque se han transmitido algunos usos que el poeta prefería,
lo llamativo es que no existe una homogeneidad en las aludi-
das rupturas entre unos y otros libros, entre poema y poema,
dentro de un mismo poema. Consta por algunos apógrafos
que el poeta revisaba la puntuación, pero no de una manera
extrema ni exhaustiva. Sin entrar en matices prolijos, ajenos a
la intención de estas notas, se deduce que en muchos casos la
puntuación es responsabilidad del copista, la cual no corresponde a veces ni al autógrafo conservado ni a las versiones
previamente publicadas, obra de otros copistas y de otros originales del poeta.

La puntuación de los copistas podía ser más o menos académica, más o menos fiel a los usos del autor. Por otro lado, sobre las copias autorizadas ha de añadirse la posible interpretación del tipógrafo. De suyo, la puntuación del libro más veces
editado en vida de su autor, el *Romancero gitano,* fue variando
de una a otra edición. Parece demostrable la intervención del
poeta, pero no es seguro que su labor se proyectara sobre todas las variantes. Es decir, García Lorca no fue tan descuidado
en la edición y reedición de sus libros como se ha supuesto,
pero tampoco su actitud es parangonable a la de un Jorge Guillén. La importancia que tiene la discusión de estos problemas,
de apariencia menor, reside en la deseable recta comprensión
de los versos lorquianos. Determinadas formas de puntuación
imponen una lectura que quizá no fue la deseada por el autor.
De ahí que se haga precisa una revisión atenta de la *princeps.* A
la vista de las fuentes, no queda siempre claro que los versos
hayan sido puntuados en función «del valor recitativo de la

poesía de Lorca» (Josephs y Caballero, pág. 228), o para mar-
car «los énfasis y pausas de recitación» (M. García-Posada,
pág. 698). Si esto es posiblemente cierto en términos genera-
les, no lo es menos que el poeta puntuó en ocasiones mal quizá
contra su propia voluntad. No cabe hacer aquí un análisis pormenorizado y demostrativo de lo dicho, pero sí recoger breve-
mente algunos ejemplos.

Valga resaltar faltas de homogeneidad o contradicción en
ciertos usos. Así, hay oraciones de relativo, condicionales,
aposiciones o complementos circunstanciales, por ejemplo,
que se enmarcan con una sola coma final. No obstante, en
construcciones sintácticas paralelas, a veces de un mismo romance, la puntuación se ha resuelto de modo diferente. Puesto
que los casos son variados y numerosos se debilita la objeción
del distinto valor concedido por el poeta a esas cláusulas o versos paralelos, con énfasis diferente según su posición en el
poema. Otra peculiaridad: García Lorca tiende a escribir con
mayúscula inicial la palabra que sigue a los dos puntos. Tal sistema, aparte de no ser respetado siempre, puede dar lugar a
confusiones. (En el soneto «Yo sé que mi perfil será tranquilo»
asistimos a un ejemplo singular: *mercurio* convertido en *Mercurio,* el dios. Es ilustrativo seguir la transmisión textual de
este soneto para observar las soluciones de los copistas.) Por
otro lado, el poeta separa a veces con coma intermedia el verbo
de su complemento directo. En mis notas documento dos
fuentes donde aparece esta misma redacción: *Sangre resbalada gime, / muda canción de serpiente.* No creo que se trate de
una primera lectura ofrecida por el autor. Aparte de que la
coma fue suprimida, sabemos del valor transitivo de «gemir»
por un contexto próximo. En el «Romance de la pena negra»
los pechos de Soledad Montoya *gimen canciones redondas.* En
«Reyerta» es la sangre la que gime una canción. La aposición
que se derivaría de la presencia de la coma obedece probablemente a una mala puntuación del autor, luego corregida. En
«San Gabriel» se plantea un ejemplo parecido, no resoluble en
el mismo sentido sobre una base documental: *Áridos lucen tus*

ojos, / paisajes de caballista. Por último, como otro ejemplo problemático, se hace difícil admitir la validez de la puntuación de los versos siguientes: *el viento, vuelve desnudo; la media luna, soñaba; la luna menguante, pone; paños blancos, enrojecen.* No niego que el poeta puntuara con esa coma intermedia alguno o todos esos versos, como medio para señalar una pausa que él *oía* de esa manera. Sin embargo, y como dato que no agota el problema, los autógrafos publicados por Martínez Nadal *difieren* en estos versos frente a la puntuación que registra la *princeps,* que ha sido la transcrita.

Podría ampliarse esta enumeración de problemas textuales, que han de ser planteados exhaustivamente ante una edición crítica, no pretendida aquí. No obstante, a la vista de los ejemplos aducidos se hace obligado sopesar con el máximo cuidado las variantes de puntuación de la *princeps* frente a los autógrafos, las versiones de romances adelantados en revistas y prensa, las reediciones del *Romancero* hechas en vida del poeta. Sin haber podido consultar la serie completa de reediciones del *Romancero* (1928-1936), he actuado con más libertad que los editores que me han precedido para la fijación del texto. Opinaba, y sigo opinando, que la fidelidad extrema a la primera edición obedece a un fetichismo injustificado. Si el cotejo aquí esbozado se amplía a los autógrafos de la FFGL (por ejemplo, para el «Romance sonámbulo»), la sorprensa se agranda y la sospecha crece: ¿son verdaderamente de Lorca las «anomalías» de puntuación que en el raro uso de las comas ofrece la primera edición?

Las correcciones se efectúan sobre la *princeps* del *Primer romancero gitano* (Madrid: Revista de Occidente, 1928), pero usando como contraste y guía la edición Sur, de Buenos Aires. Pese a los razonamientos de C. de Paepe en su valioso trabajo de editor, se puede mantener que la *princeps* es una edición descuidada, que dio entrada incluso a errores ortográficos ajenos al autor, o al menos no presentes en sus manuscritos. La editorial dirigida por Ortega no había publicado ningún libro de poesía hasta entonces, y de ahí el titubeo sobre el modo de editarlo:

anunciado en la colección Nova Novorum, nada de esto registra el volumen de 1928. Su mismo pequeño formato se aparta de cualquier otra colección de la editorial. Tanto *Cántico*, de Jorge Guillén, aparecido a fines de 1928, como *Cal y canto*, de Alberti (1929), o la segunda edición del *Romancero gitano* (1929), todos en la misma editorial, adoptan un formato, tipo de papel y nobleza tipográfica ajenos a la *princeps* del *Romancero*. El mismo hecho de que la colección no estuviera fijada pudo permitir la innovación de la cubierta por mano del autor, feliz «atrevimiento» que no se repetiría en 1929. Pero la anómala puntuación de los versos (fuera de quien fuera) y las faltas ortográficas (pocas, pero suficientes) no eran propias de un libro vigilado editorialmente.

Aparte de autógrafos e impresos, recogidos ya en la cronología, he cotejado la edición príncipe con un ejemplar de la 4.ª ed. (la citada de Sur, 1933), lo que equivale a decir de la 3.ª Como he avanzado, una y otra corresponden a una misma tirada de impresión por parte de la editorial argentina. La importancia de esta doble impresión obedece a que fue revisada por el autor, según parece demostrable por el simple cotejo de las novedades introducidas. García-Posada ha documentado recientemente la existencia de corrección de pruebas por parte del poeta (*OC*, I, pág. 919). El libro, además, fue impreso por Francisco A. Colombo, uno de los grandes editores en este siglo del mundo hispánico, editor comparable a Altolaguirre e, incluso, más cuidadoso y refinado. De la imprenta de Colombo salieron *plaquettes* y libros especiales, joyas supremas de bibliofilia. En tres de ellos, dos de Ricardo E. Molinari y uno de Salvador Novo, el poeta español intervino como ilustrador de lujo. Lorca, pues, tuvo contacto personal con aquella imprenta. Pudo, acaso, no responsabilizarse con absoluto detalle de la corrección del libro, pero aquel *Romancero* recibió una atención editorial que en España no había tenido. Y él estaba allí para realizar su papel y autorizar la labor.

A pesar de algunas variantes, la edición Sur debió ser fuente de la 5.ª, impresa de nuevo en Madrid (Espasa-Calpe, 1935). El hecho de que el poeta adoptara en 1935 la 3.ª ed. como modelo válido da a entender que aprobaba las innovaciones introducidas en la doble impresión argentina, de la que sí se corrige una errata importante: *primer berberisco: primor berberisco* («San Miguel»).

El poeta revisó, aunque fuera someramente, la segunda edición de *Canciones,* como he mostrado ya en mi edición de este libro en esta misma Biblioteca de autor (pág. 179). Es previsible que actuara del mismo modo, incluso con más atención, ante las reediciones de su libro más célebre, en especial en Buenos Aires. Algunas variantes de puntuación, corrección de erratas anteriores e introducción de blancos, asteriscos y guiones exigen un conocimiento de los romances que sólo su autor podía poseer. Las novedades de *Sur* no se explican únicamente por la labor de un tipógrafo y corrector cuidadosos. La revisión, sin embargo, no fue del todo coherente ni completa, como se verá en mis notas. tampoco se suele pedir a un editor que actúe con criterios ecdóticos de la máxima pureza, y aquél era un libro comercial.

Por todo ello, he tomado como guía la doble edición de 1933, así como he adoptado en ocasiones criterios deducibles de aquella misma revisión. He atendido también a las series de autógrafos, apógrafos e impresos que he ido desgranando. A partir de esas fuentes fijé mi nueva edición de 1983, dando un paso más sobre la primera edición de este volumen, en la que ya partía de la edición argentina para algunas correcciones esenciales. Ahora, al revisar por tercera vez mi edición, tantos años después, confirmo, con algunas rectificaciones, el trabajo anterior. Fue seguido, con matizaciones, por M. García-Posada (1988); igualmente, por C. Maurer, editor de la serie bilingüe *The Poetical Works of F. G. L.* y, para el caso, del vol. II, *Collected Poems* (New York: Farrar Straus Giroux, 1991); finalmente, adoptó mi edición Derek Harris, editor del *Romancero* con *Poeta en Nueva York* y *El público* (Madrid: Taurus, 1993). Para las modificaciones que ahora introduzco he atendido a los nuevos materiales que ahora se conocen y al pormenorizado y valioso trabajo de Christian de Paepe. No es éste el lugar para reseñar su edición, que tiene el máximo valor de ofrecer *todas* las variantes, facilitando de este modo la consulta y conclusiones de cada lector.

1. ROMANCE DE LA LUNA, LUNA (págs. 47-48). Mantengo en el v. 16 la lectura de la *princeps,* respetada en todas las ediciones hechas en vida del poeta: *con los ojillos cerrados.* Me he resistido a corregir por el manuscrito de *Autógrafos* (pág. 138), por el enviado en carta a M. Fernández Almagro (enero de 1926) y por la también coincidente lectura de los impresos: *con tus ojillos cerrados.* Se lee así el verso en *El Norte de Castilla* (9-IV-1926), en *Proa* (junio de 1925) y en *Verso y Prosa* (julio de 1927). Ante la confusa letra del autor, cabría interpretar que hubo yerro del copista de la versión definitiva. No descarto, sin embargo, la corrección intencionada de García Lorca, quien, a juzgar por las variantes de puntuación, no se sirvió de los impresos. Pudo corregir el verso al creer innecesaria la presencia del posesivo por el valor deíctico ya presente en el pronombre personal del v. 15: *te encontrarán sobre el yunque.* La construcción con artículo evidencia aún más el paralelismo con el v. 24: *tiene los ojos cerrados.*

Con regularización de un uso que ya mostraba el autógrafo primero (29-VII-1924), las intervenciones de diálogo aparecen entrecomilladas en el enviado a M. F. A. (transcrito por A. Gallego Morell, págs. 85-86, y Maurer, *EC,* págs. 322-323), y en los tres impresos mencionados. Sigo el criterio general adoptado, por lo que introduzco guión inicial, en sustitución de las comillas, en los vv. 9, 13, 17 y 19. Por simetría con el v. 35 *(El aire la vela, vela)* y con el mismo título del romance, añado una coma en el verso 3: *El niño la mira mira : El niño la mira, mira.* Sigo en este punto a los impresos. De acuerdo también con el primer autógrafo, con los impresos y con la 3.ª ed., suprimo la innecesaria coma del v. 23: *Dentro de la fragua el niño, / tiene...* Conforme a los impresos, regularizo la puntuación del v. 30 *–¡ay, cómo canta en el árbol!–*, sin coma en la primera ed. y con ella en la 5.ª y ss. Comp. v. 77 de «Thamar y Amnón».

2. PRECIOSA Y EL AIRE (págs. 49-51). Añado guión de diálogo en el v. 25. Tanto el autógrafo Díez-Canedo como *Litoral*,
ambos de 1926, entrecomillan los vv. 25-28. De acuerdo con
Litoral restablezco la coma intermedia en el v. 14: *levantan por
distraerse,* : *levantan, por distraerse,* / *glorietas...* No ofrece
coma alguna el autógrafo ni la 3.ª ed., pero la *princeps* mantiene una significativa coma final en el verso discutido.

3. REYERTA (págs. 52-53). Conocemos dos autógrafos: el de la
FFGL («Reyerta de mozos», 6-VIII-1926), y, bajo el mismo título, el reproducido por J. Guillén en la citada ed. italiana de *Federico in persona. Carteggio.* Nótese que en la conferencia-recital
el romance será citado todavía como «Reyerta de mozos». Los
vv. 25-26 ofrecen la siguiente lectura en el ms. Guillén: *Sangre
resbalada gime,* / *muda canción de serpiente.* Mantiene la coma
la versión de *La Verdad* (oct. 1926), pero desaparece en *L'Amic
de les Arts* (junio 1927) y en las ediciones del *Romancero,* desde
la 1.ª. En el ms. primero (6-VIII-1926) se lee, incluidas tachaduras: *[La] sangre [canta en las jaras] resbalada gime / muda canción de serpiente.* Me atengo al impreso más próximo a la *princeps,* así como a ésta. Introduzco coma final en el v. 2, suprimo la
del v. 6 y añado una intermedia en el v. 31. Sigo en estas correc-
cones la 3.ª ed., en la que el poeta corrigió también el v. 36: *por el
aire del poniente* : *por el aire de poniente.* La segunda lectura es la
ofrecida por el ms. Guillén y por los impresos *(por el aire de Poniente,* en *L'Amic),* frente al ms. primero: *del.* Notó la variante
frente a la príncipe A. Rodrigo (ob. cit., pág. 209). Es probable
que Lorca quisiera deshacer la redundancia de la primera redacción: una cosa es el aire que sopla de poniente y otra el poniente,
viento en sí mismo que no necesita añadidos.

4. ROMANCE SONÁMBULO (págs. 54-57). Añado asterisco
de separación tras el v. 12. Pudo ser omitido en la *princeps* por
el cambio de página entre los vv. 12 y 13. Lo ha restablecido, a
partir de la 2.ª ed., Arturo del Hoyo *(OC,* II, pág. 1468).

Añado comas finales en los vv. 6 y 22. Me apoyo en estas correcciones para añadir otra coma final en el v. 70. Suprimo, en cambio, las comas finales de los vv. 25, 59, 73, 77 y 81. Suprimo también, de acuerdo con el manuscrito, la coma intermedia del v. 64, del siguiente modo en la 1.ª y 5.ª ed.: *El largo viento, dejaba*. Unifico la puntuación de la pareja de versos repetitivos 33-34 y 45-46. Los dos últimos ofrecen distinta lectura en la *princeps: Pero yo ya no soy yo. / Ni mi casa es ya mi casa.* Regularizo la puntuación de los vv. 67-68, de este modo en la *princeps: ¡Compadre! ¿Dónde está, dime? / ¿Dónde está tu niña amarga?* Añado guión de diálogo en los vv. 25, 35, 41 y 47. Comparativamente, se justifica el mismo signo para los vv. 67 y 69. Me baso para todas las correcciones anteriores, menos en el caso de los vv. 67 y 69, en la 3.ª edición.

Arturo del Hoyo ha advertido también la necesidad de corregir el v. 39: *¿No ves la herida que tengo : ¿No veis la herida que tengo?* Se basa para ello en la variante de un autógrafo del Archivo García Lorca, comunicada por A. Belamich, y en la correspondencia con el *dejadme* de los vv. 47 y 49. Admite también la corrección M. García-Posada (pág. 699), sobre las mismas razones. No obstante, me atengo a la lectura del verso tal como aparece en las 1.ª, 3.ª y 5.ª ediciones. La forma *ves* se corresponde nítidamente con el imperativo en segunda persona *dime,* del v. 67 *Veis* es, además, una lectura errónea del ms.

5. LA MONJA GITANA (págs. 58-59). Se conserva un posible borrador o redacción primera del romance, con fecha de 20-VIII-1925. Dado el carácter del ms., la puntuación es sumamente descuidada *(Autógrafos,* págs. 142-145). Suprimo la coma final en el v. 5 *Vuelan en la araña gris, / siete pájaros...* Las ediciones 3.ª y 5.ª adoptan este criterio.

6. LA CASADA INFIEL (págs. 60-62). Se conoce una copia autógrafa, con fecha de 27-I-1926 *(Autógrafos,* págs. 146-149), y un impreso, ya de enero del 28, en *Revista de Occidente.* Me

atengo a las ediciones 3.ª y 5.ª para establecer un blanco entre los vv. 3-4. La corrección pudo ser del autor, como medio de señalar el engarce de los versos de copla iniciales con el cierre del romance. En el ms. se observa, por otra parte, una leve separación en el lugar indicado, si bien no está señalada por signo alguno.

M. García-Posada (pág. 699) ha corregido acertadamente el laísmo que se deslizó en el v. 50, contrario al ms.: *Le regalé un costurero.* Es preciso añadir que *La regalé,* como se mantiene en todas las ediciones, contradice los usos del autor y no está justificado por el cercano impreso, ya citado, donde se mantuvo la lectura original.

Añado coma intermedia en los vv. 51 y 53, los dos con coma final en el ms., que se mantiene en la *princeps* para el primer caso, finalmente corregido en la 5.ª ed.: *grande, de raso pajizo.* Transcribe el impreso el v. 53 con la lectura que adopto: *porque, teniendo marido, / me dijo...*

7. ROMANCE DE LA PENA NEGRA (págs. 63-64). Ofrecen en la *princeps* puntuación distinta los vv. 5 y 7, a pesar de su idéntica construcción. V. 5: *Cobre amarillo, su carne, / huele...*; v. 7: *Yunques ahumados sus pechos, / gimen...* Adopto para los dos versos una única coma intermedia que señale la aposición. Así se resuelve el v. 5 en 3.ª y 5.ª ed. Conforme a estas ediciones, introduzco guión de diálogo en los vv. 9, 11, 15, 19, 23, 27 y 35. Un ms. de 30-VII-1924 (*Autógrafos,* págs.150-155) presenta, conforme a los usos del autor, comillas en alguno de los versos señalados. Sigo a las dos ediciones citadas para eliminar la coma final del v. 41.

8. SAN MIGUEL (GRANADA). SAN MIGUEL (págs. 65-67). Mantengo la doble titulación. La portadilla de las ediciones hechas en vida del autor ofrece la localización geográfica, que no figura luego al frente del romance. Se conoce, junto al ms. primero (sin fecha), la versión en limpio enviada en carta a J. Guillén de 9-IX-1926, reproducida en *Federico in persona,* ed. cit. En noviembre del mismo año se publica el romance en

Litoral, bajo el título escueto de «San Miguel». Añado una coma final en el v. 10, de acuerdo con el ms. Guillén y con el impreso. Corrijo, por la 5.ª ed., el v. 17: *San Miguel lleno de encajes* : *San Miguel, lleno de encajes.* Sustituyo el punto y coma con que se cierra el v. 25 por una coma. Basándose en *Litoral,* introduce esta corrección M. García-Posada, a quien sigo. Mantengo, con los dos manuscritos, la mayúscula de *Efebo* en el v. 26. *Litoral* editó: *San Miguel canta en los vidrios,* / *efebo de tres mil noches.* Elimino la coma de cierre del v. 29, siguiendo a *Litoral.* Añado, por último, una coma final en el v. 41.

9. SAN RAFAEL (CÓRDOBA). SAN RAFAEL (págs. 68-70). Mantengo, como en el romance anterior, la doble titulación. Martínez Nadal reproduce el facsímil de la segunda parte en doble versión *(Autógrafos,* págs. 190-193). A su vista se disipa la confusa puntuación de los vv. 28-29, que se leen así en la *princeps: que a las dos Córdobas junta:* / *Blanda Córdoba...* La mayúscula de *Blanda* contradice el uso correcto de otros ejemplos del libro. Restauro la lección del ms., más acorde con el sistema de puntuación del poeta: *que a las dos Córdobas junta.* / *Blanda Córdoba...* Los vv. 48-50 presentan, dentro de su paralelismo, la misma puntuación que la establecida para los versos anteriores. En este caso sería respetada en las ediciones del libro, falto el copista de la confusión a que debió inducirle la doble redacción en el ms. del v. 28.

10. SAN GABRIEL (SEVILLA). SAN GABRIEL (págs. 71-74). Mantengo la doble titulación, como en los dos casos anteriores. De acuerdo con la 3.ª ed., introduzco guión de diálogo en los vv. 23, 39, 43, 47, 51, 55 y 59. Modifico el irregular uso de mayúscula en los vv. 23 y 39 después de los dos puntos. He mantenido este signo último aunque no esté refrendado por el ms. *(Autógrafos,* págs. 160, 161). Otros textos del poeta manifiestan este tipo de puntuación, aunque no la irregular mayúscula (cf. v. 27 de «Reyerta»). Me aparto, pues, de la 3.ª y 5.ª ed., que siguen en los dos versos a la *princeps.*

Añado coma de cierre en los vv. 13, 27, 31, 33, según la 3.ª ed. No tiene sentido, por ejemplo, la distinta puntuación de los vv. 27 y 51 en lo que respecta a la idéntica aposición. De acuerdo con el ms. y la citada ed., restablezco la mayúscula inicial del v. 49. He suprimido la coma final del v. 61, aun sin base documental para la corrección. Parece en principio insólito que *paisajes de caballista* sea aposición a *ojos,* como se derivaría de la puntuación de la *princeps.* El verbo está usado como transitivo, al igual que *gime-gimen* en los dos casos señalados *supra* (pág. 260).

11. PRENDIMIENTO DE ANTOÑITO EL CAMBORIO EN EL CAMINO DE SEVILLA (págs. 75-77). Una copia autógrafa del romance, fechado el 20-I-1926, le fue entregada a E. Díez-Canedo. En noviembre del mismo año se publicaba en *Litoral* con errores de los que se dolería el poeta. Conforme a un uso ejemplificable en otros versos, añado una coma final en el v. 5. Adopto mayúsculas en *guardia civil,* v. 15. El poeta se refiere al colectivo, no a un solo individuo, como denota el ms.: *Guardia civil,* según uso común en otros autógrafos. (En el poema se precisará luego el número de civiles: cinco.) Añado guión de diálogo en el v. 29. Me pliego, pues, a la 3.ª ed., lo mismo que en la supresión de la coma final del v. 37, también sin ella en el ms.

12. MUERTE DE ANTOÑITO EL CAMBORIO (págs. 78-80). Añado guión de diálogo, con la 3.ª ed., en los vv. 19, 25, 33 y 37. Sustituyo por minúscula la mayúscula inicial del v. 23 y adopto coma final para los vv. 25 y 33. Corrijo la puntuación de los vv. 37-38 sobre el patrón de la 3.ª ed.: *¡Ay Federico García! / llama a la Guardia civil!* : *¡Ay, Federico García, / llama a la Guardia Civil!* La adopción de mayúscula para *civil* ha sido advertida por M. García-Posada (pág. 700).

13. MUERTO DE AMOR (págs. 81-83). A partir de la 2.ª ed. desaparece la dedicatoria de la *princeps:* «A Margarita Manso». Mantengo la supresión, pues la persistencia sugiere un he-

cho voluntario. En la versión de *Litoral* se entrecomillan los
vv. 39-42, sin duda sobre el original del poeta. De acuerdo con
la 3.ª ed., añado guión de diálogo para los vv. 1, 3, 5, 7 y 39, así
como marco con punto y aparte el v. 43. Siempre según la misma ed., elimino la coma final de los vv. 7, 20, 33 y 44.

14. EL EMPLAZADO (págs. 84-86). Se conoce un ms., probable
redacción primera *(Autógrafos,* págs. 166-171). Fue publicado
en la revista *Carmen* (enero de 1928). Quito la coma final del v.
19, sin ella en la 3.ª ed., en *Carmen* y en el ms. Introduzco guión
en el v. 24. Marco también con comas la condicional de este verso, de acuerdo con *Carmen* y con la puntuación del v. 13 del siguiente romance.

15. ROMANCE DE LA GUARDIA CIVIL ESPAÑOLA (páginas 87-92). El poeta copió los 63 primeros versos del romance
en carta a Jorge Guillén (8-XI-1926). Han sido reproducidos
en facsímil en *Federico in persona,* ed. cit. Se conocen otros
fragmentos, en *RG* 1988 y en *Autógrafos,* págs. 196-203. Siempre que hay coincidencia entre la copia en limpio para J. Guillén y la 3.ª ed. modifico la puntuación. Suprimo, por tanto, la
coma final del v. 29 y las intermedias de los vv. 33 y 49. Así, no
es claramente atribuible al autor la puntuación irregular de estos dos últimos versos: *El viento, vuelve desnudo* y *La media
luna, soñaba.* No pertenecen, por otro lado, a los fragmentos
del ms. M. Nadal. Presenta un caso semejante el v. 36: *noche,
que noche nochera,* así mantenido en la 3.ª ed. La coma no figura en el ms. Guillén. A juzgar por los vv. 25-26 de este ms.,
hubo un titubeo en la puntuación por parte del autor. Lo re-
suelvo adoptando coma final para los vv. 25 y 35 y eliminando
la coma intermedia del v. 36. La *princeps* ofrece esta lectura en
los vv. 25-26: *Cuando llegaba la noche / noche que noche nochera, / los gitanos...* La única coma delata el carácter de aposición
de todo el verso. Modifico también la lectura del v. 88*: y las
horzas de moneda.* Hasta la 5.ª ed. no se corrige el error orto-
gráfico, acaso no imputable al autor. De acuerdo con el ms.

Nadal, la corrección debe ser doble: *y las orzas de monedas.* García-Posada corrige, por último, el v. 118, con supuesta minúscula inicial: *la Guardia Civil se aleja.* Parece una confusión del citado editor. La *princeps,* lo mismo que el ms. Nadal, ofrecen la lectura correcta: *La.*

16. MARTIRIO DE SANTA OLALLA (págs. 95-98). Las partes primera y segunda de este romance han sido reproducidas en *Autógrafos,* págs. 172-175. El romance se editó en *Revista de Occidente,* enero de 1928. Sobre estas dos fuentes, M. García-Posada («Un romance mítico: el "Martirio de santa Olalla", de G. L.», *Revista de Bachillerato,* 2 [1978], págs. 51-62) corrige el v. 18, que cierra con punto. Se lee así en la *princeps: y garfios de aguda comba: / Brama…* Acorde la puntuación con otros ejemplos del autor, mantengo los dos puntos y adopto minúscula para *Brama.* Como han observado Arturo del Hoyo (pág. 1469) y el crítico citado (pág. 700), se hace precisa la corrección de *maniquíes* en el v. 59. En el ms. el poeta escribió *maniquís.* Es posible que la lectura de la *princeps,* con hipermetría desusada en el autor, proceda del impreso, donde ya se lee *maniquíes.* Cierro con coma el v. 43.

17. BURLA DE DON PEDRO A CABALLO. ROMANCE CON LAGUNAS (págs. 99-102). Conocemos dos autógrafos y un impreso. El primer ms., versión primitiva del romance, le fue entregado a E. Díez-Canedo en 1923; el segundo le fue enviado por carta a J. Romero Murube, quien lo publica en *Mediodía* (junio de 1927). Del ms. Murube se conocen dos fragmentos en reproducción fotográfica. La primera hoja (vv. 1-19) aparece en *ABC. Número homenaje a F. G. L.,* 6-XI-1966, sección «Antología breve», s. p. Los vv. 24-37 ilustran el artículo de Murube «Una variante en el *Romancero gitano*», *Ínsula,* 94 (1953), pág. 5. Si bien *ABC* no declara la procedencia del original reproducido, la deduzco por la suma de documentos de Murube que se incluyen en ese número de homenaje. El fragmento, además, presenta todavía el título simplificado –«Ro-

mance con lagunas»–, como se edita en *Mediodía.* Esta versión, con la carta donde se incluía, ha sido transcrita por A.
Gallego Morell, ed. cit., págs. 145-147. (Es probable, sin embargo, que esta transcripción haya sido realizada con apoyo en
Mediodía. El v. 5 reproduce la errata *Montaba,* tal como aparece en la revista, frente a *Montado,* lectura clara del ms. de *ABC.*
Otras variantes de puntuación delatarían el mismo proceso.)

Frente al ms. Murube se advierten dos erratas en *Mediodía:*
la ya notada del v. 5 y la advertida por el propio Murube, en su
artículo de *Ínsula,* para el v. 26: *una ciudad lejana.* El ms.,
como confirma por su parte Gallego Morell, da *Una ciudad de
oro.* He aquí los vv. 24-27, según el facsímil de *Ínsula: A una
ciudad lejana / ha llegado Don Pedro / Una ciudad de oro / entre
un bosque de cedros.* El ms. Díez-Canedo ofrecía esta lectura:
*A una ciudad de oro / ha llegado Don Pedro / Una ciudad sin to-
rres / entre un bosque de cedros.* Añadía en vv. 58-59 (siguiendo la numeración deducible de la *princeps): La gran ciudad de
oro / está ardiendo.*

Revista de Occidente presenta también variantes de puntuación respecto a *Mediodía,* en vv. 10, 25 y 67. Asimismo los sub-
títulos correspondientes a las tres lagunas están entre paréntesis en la revista, como en el ms. Murube *(vid. ABC).* A partir de
estos datos, deduzco como hipótesis plausible que el poeta
realizó una copia autógrafa para el libro, sin duda a la vista de
Mediodía. En ella añadió el título «Burla de Don Pedro a caballo», modificó la puntuación en los tres versos citados y quitó
los paréntesis aludidos, al tiempo que restablecía la lectura
original del v. 5. Hay que advertir que la misma puntuación y
ausencia de paréntesis coincide con el ms. Díez-Canedo, por
lo que estos cambios no son responsabilidad del copista. Cabe
otra hipótesis: que el poeta corrigió directamente sobre el impreso, como hizo para algunos poemas de *Poeta en Nueva
York.* En un caso u otro se mantuvo, en el v. 26, *Una ciudad lejana.* El poeta asumió, pues, la errata de *Mediodía,* a pesar de
que alteró la puntuación. A partir del artículo de Murube se ha
interpretado, como indicaba el escritor sevillano, que había

que corregir la errata del citado verso. Han seguido esta opinión A. del Hoyo, Allen Josephs y Juan Caballero, José Luis Cano, M. García-Posada, etc. He disentido en la primera edición de este volumen. A pesar de las razones que ha puesto M. García-Posada (págs. 700-701), sigo inclinándome por la lectura de la *princeps* en el v. 26. Para abreviar: el poeta corrigió la puntuación, pero no la errata de *Mediodía,* que se mantendría en todas las ediciones del *Romancero.* Es decir, García Lorca cerró con punto el v. 25 y añadió la consiguiente mayúscula inicial en el v. 26, siempre frente a *Mediodía.* Olvidó, en cambio, la corrección de la errata, o la mantuvo deliberadamente. Si fue realmente un olvido, nada nos lo asegura. Lo menos arriesgado, por tanto, sigue siendo atenerse a la versión de la *princeps.* Ha de añadirse, por último, que el poeta revisó su libro, según se ha mostrado. El supuesto olvido, que no deja de ser posible, adopta carácter de reincidente.

18. THAMAR Y AMNÓN (págs. 103-107). Conocemos un borrador del romance *(Autógrafos,* págs. 180-189), probable redacción primera y, como tal, de descuidada puntuación. Añado guión inicial en los vv. 57, 61 y 65. Restablezco asterisco de separación entre los vv. 12-13. El v. 12 cerraba página en la *princeps.* La caja no dejaba lugar para el signo de separación, presente en la 3.ª ed., al igual que los guiones citados. Sigo también a esta ed. en las correcciones que siguen. Añado una coma intermedia en el v. 25 y quito las comas intermedias de los vv. 41 y 89, tras *maciza* y *blancas.* Suprimo la coma final de los vv. 45 y 62. Restablezco la mayúscula inicial del v. 59, como corrigen las ediciones habituales. Por mi parte, añado comas finales en los vv. 26 y 55; para el primero, comp. «Preciosa y el aire», vv. 21-22.

2. Romances del teatro

1. [ROMANCE DE LA CORRIDA DE TOROS EN RONDA] (págs. 111-113). Sigo la versión que aparece en la edición de *Mariana Pineda* publicada por la colección teatral La Farsa (II, 52, Madrid, 1-9-1928, pp. 14-15), donde el poeta modifica la enviada a José María de Cossío en 1927 (cf. Eutimio Martín, «La actitud de Lorca ante el tema de los toros a través de cuatro cartas a José María de Cossío», *Ínsula*, 322, sep. 1973). No obstante, me atengo en cuanto al arranque del poema –sin explicación previa– y a la omisión de sus cuatro últimos versos, más bien de engarce con la acción teatral, a la versión recibida por Cossío y publicada por éste en su libro, plagado de erratas, *Los toros en la poesía castellana,* t. II, Madrid, 1931, págs. 373-374. Interpreto que, al margen de variantes, ésta es la versión suelta del romance decidida por el propio García Lorca.

2. ROMANCILLO DEL BORDADO (págs. 111-116). Procede de la estampa segunda, escena primera, de *Mariana Pineda* (ed. cit., págs. 30-32) y le prestan voz Clavela y los dos hijos de Mariana, quienes lo recuerdan como un romancillo ajeno, infantil, tomado supuestamente de la memoria popular. He en-

trecomillado las distintas intervenciones del diálogo descrito y no sólo la de los versos 17-20, únicos que la edición señala con comillas.

3. [ROMANCE DE LA MUERTE DE TORRIJOS] (págs. 119-120). De la misma estampa segunda, escena octava, de *Mariana Pineda* (ed. cit., págs. 42-43). El relato está puesto en boca de uno de los conspiradores liberales amigo de la protagonista.

4. [SERENATA DE BELISA] (págs. 119-120). Con el título de «Serenata» y la indicación *«(Homenaje a Lope de Vega)»*, este poema formaría parte de *Canciones* (Málaga, 1927, pág. 100), cambiando el nombre de Belisa por el de Lolita. Sigo el apógrafo del *Perlimplín,* con alguna anotación de mano del poeta, que perteneció a Pura Maortua de Ucelay y cuya consulta me ha permitido amablemente Margarita Ucelay. De este apógrafo procede la variante «y anís de sus muslos blancos», en lugar de «tus muslos», como transcriben las versiones conocidas.

5. [ROMANCE DE LA TALABARTERA] (págs. 121-124). Reproduzco el texto de mi edición de *La zapatera prodigiosa,* publicada en esta misma Biblioteca de autor (Madrid: Alianza Edit., 1998, págs. 109-113). He separado con asteriscos o blancos, al modo del *Primer romancero gitano,* las pausas en el recitado del Zapatero que corresponden en la obra a interrupciones de los otros personajes.

6. [ROMANCE DEL ARLEQUÍN] (págs. 125-126). Adopto la lectura del manuscrito del poeta, cf. F. G. L. *Autógrafos. III: Así que pasen cinco años,* ed. R. Martínez Nadal, Oxford, 1979, págs. 152-155. Respeto, pues, las mayúsculas de «Sueño» y

«Tiempo» y unifico las iniciales de verso frente al uso cambiante del poeta, quien no sigue en su manuscrito un criterio fijo.

7. [NANA DEL CABALLO] (págs. 127-129). Reproduzco el texto de mi edición de *Bodas de sangre* en esta Biblioteca de autor (Madrid, Alianza Edit., 1998, págs. 76-79).

8. [ROMANCILLO EN EL QUE DOS MUCHACHAS DEVANAN UNA MADEJA ROJA] (págs. 130-133). De la misma obra y edición que la nana anterior, páginas 163-166. Antes de la entrada del segundo estribillo el autor sitúa un breve diálogo en verso entre una Niña y la Muchacha 1.ª. Dentro de la convención de esta antología de romances del teatro lorquiano, he suprimido aquí el mencionado diálogo, ya que afecta a la continuidad del romancillo considerado como unidad independiente.

9. [CANCIÓN DEL PASTOR SOLO] (págs. 132-133). Reproduzco este romance o canción del pastor de mi revisada edición de *Yerma* (Alianza Ed., 1998, págs. 56-57). Modifico, no obstante, la puntuación de la cuarteta final. Entiendo que «monte de hierbas amargas» es aposición explicativa a «monte». En el paralelismo de la construcción una de esas «hierbas amargas» es la retama. «Espina» (en un arbusto que no las tiene) es metáfora del amargor, aquí simbólico, de la retama, de acuerdo con la creencia y simbolismo tradicionales, que llevan a dotar a la planta de un carácter negativo o, incluso, funeral. El canto se liga, pues, al tema de la no fecundidad, solitario el pastor en el monte pese a la voz que lo reclama.

Este canto de Víctor al final del primer acto es una recreación del conocido villancico y romance tradicional «La dama y el pastor» (diálogo de una «gentil dama» y un «rústico pastor», según la versión nuevamente popularizada por Menéndez Pidal en su *Flor nueva de romances viejos).* Lorca tenía que conocer, como mínimo, las versiones publicadas por Dámaso Ledesma en su *Cancionero salmantino* (Salamanca, 1917) y por Eduardo Martínez Torner en el *Cancionero musical de la lírica popular asturiana* (Madrid, 1920), dos cancioneros que le eran familiares. Es muy probable que conociera también algunas de las versiones granadinas y de otras regiones, aparte de haber reencontrado el romance en el libro pidaliano. Para más datos y referencias bibliográficas, *vid.* M. Hernández, «Cronología y estreno de *Yerma, poema trágico,* de G. L.», *Rev. de Archivos, Bibliotecas y Museos,* LXXXII, 2 (1979), págs. 289-315.

10. [DANZA DE LA ESPOSA TRISTE] (págs. 134-139). En el desarrollo y metro cambiante de esta danza, de la que libremente podemos decir que participa de la forma romancística, era importante hacer notar la participación jaleadora de los distintos personajes junto con el fondo que la acotación describe. Sigo el texto de mi edición cit. de *Yerma,* págs. 112-116.

11. TEMA DE LA ROSA MUDABLE (págs. 140-141). Este romance, tal como aquí se recoge, fue reproducido por Eduardo Blanco-Amor en «Nueva obra teatral de García Lorca», *La Nación,* 24-XI-1935. El manuscrito le había sido cedido por el propio poeta, pues Blanco-Amor permitiría su reproducción facsímil en *Homenaje de escritores y artistas a García Lorca. Mony Hermelo. Recital poético,* Buenos Aires-Montevideo, 1937. El romance, ya sin su título, volvió a ser reproducido por el periodista Pedro Massa en una entrevista con el poeta en 1935. La explicación del título viene dada por el propio García Lorca en la mencionada declaración: «Esta flor [la rosa] es como el símbolo del pensamiento que he querido recoger en *Doña Rosita.* Pensamiento que la propia doncella repite una y otra y otra vez, a lo largo de la comedia, en estos versos que vas a escuchar [...]».

Todavía se ha oído en el teatro, en la última puesta en escena de la obra (Madrid, 1998), «blanco cuerno de metal», frente a «blando». La vieja errata pervivía más allá de lo deseable. Sin añadir otras razones, baste el autógrafo (reproducido en pág. 108) para aclarar la duda, si la hubiere, y para romper con la comodidad de la pereza. Este autógrafo, además, presenta blancos que he seguido, y una variante que también adopto en el v. 7: «acerca» por «asoma». Los blancos corresponden a una copia suelta del romance, presentado como poema matriz de la obra y con un trato escrito de poema autónomo. La oscilación «acerca»/«asoma» es, en mi opinión, una variante del autor, que escribe de memoria su romance, lo titula para la ocasión y elige en ese momento «acerca». Imposible saber si el autógrafo teatral, hoy por hoy perdido, presentaba ya «asoma», pero es lo más probable. Para la versión teatral, remito a mi edición de *Doña Rosita* en esta misma colección (Madrid, 1998, págs. 65-66).

12. [ROMANCE DE LAS TRES MANOLAS] (págs. 142-143). Para este romance «granadino» sigo mi citada edición de *Doña Rosita,* págs. 77-78.

13. LO QUE DICEN LAS FLORES (págs. 144-146). Adopto el título que se indica en la comedia, cuando discuten los personajes si tocar al piano «¡Viva Frascuelo!», la «Barcarola de la fragata Numancia» o «Lo que dicen las flores». La Madre se refiere al romance en estos términos: «Habla y toca al mismo tiempo». El romance, pues, está pensado para ser dicho en escena sobre un fondo de piano que toca uno de los personajes. Ante las erratas para este texto de la *Antología* varias veces citada, sigo mi edición (Alianza Edit., 1998, págs. 118-121), con la corrección allí adoptada: «pasando las ramas» por «pesando las ramas».

3. Conferencia-recital del «Romancero gitano»

Este texto fue editado por primera vez en *Revista de Occidente,* 2.ª ép., núm. 77, agosto 1969, págs. 129-137. De acuerdo con las noticias recogidas por Marie Laffranque («F. G. L. Conférences, déclarations et interviews oublieés», *Bulletin Hispanique,* LX, 4, 1958, págs. 523-528), fue utilizado por el poeta en Barcelona (9-X-1935) y en San Sebastián (7-III-1936). Quizá su escritura fue de esta última época, como sugiere la misma investigadora: «Una cadena de solidaridad. Federico conferenciante», *Trece de Nieve,* ob. cit., pág. 135. No debe descartarse, sin embargo, una redacción de fecha anterior, tal como se desprendería de unas palabras tachadas del apógrafo que se ha conservado entre los papeles del poeta, copia mecanografiada corregida de su mano.

En el primer párrafo el copista transcribió: «un camarada que hace cinco años vivía en la Residencia de Madrid». García Lorca tachó y corrigió de este modo: «un camarada que recuerda todavía cercanos los años que vivía...» Al comienzo de *luego y teoría del duende,* el poeta confiesa que vivió en la Residencia de Estudiantes hasta 1928, lo que daría 1933 como año de la redacción de la conferencia-recital. No se conoce, sin embargo, documentación que corrobore esta fecha.

El segundo párrafo del texto estaba redactado originalmente así:

Yo sé muy bien que eso que se llama conferencia sirve en las Residencias de Estudiantes para llevar a los ojos del muchacho cansado de jugar o de estudiar esas puntas del alfiler donde se clavan las irresistibles anémonas de Morfeo, y esos bostezos para los cuales se necesitaría tener boca de caimán. Recuerdo una vez que un conferenciante nos dio una lata tan espantosa que el poeta Emilio Prados y yo salimos como locos al jardín y nos arrojamos vestidos al canal que bordea la colina de la Residencia.

Las sustituciones y supresiones de este párrafo acaso indiquen que el poeta corrigió la presentación de la conferencia para su uso en el Ateneo Guipuzcoano de San Sebastián, en tanto que la primera versión, más directamente familiar, estaba dirigida a los oyentes de la Residencia de Estudiantes de Barcelona. En esta ocasión (1935) Margarita Xirgu leyó el *Llanto por Ignacio Sánchez Mejías* después de las palabras del poeta. La conferencia estuvo organizada por la Escuela de Enfermeras de la Generalitat de Catalunya y apoyada por el Instituto de Acción Social Universitaria. Estas circunstancias y ámbito propiciarían el mencionado tono familiar, así como apoyarían la fecha de 1935 para la redacción de la conferencia. El estreno de *Bodas de sangre* en Barcelona, realizado el 22 de noviembre, puede ser una de las razones de su cita en el texto, en principio insólita. (Para los datos de la conferencia en Barcelona, cf. «La poesia i els estudiants. El recital de García Lorca i Margarida Xirgu a la Residència», *La Humanitat,* Barcelona, 12-X-1935. Esta excelente reseña ha sido reproducida por M. Laffranque en su recopilación citada del *BHi.)*

En Barcelona García Lorca leyó el romance «El emplazado», aludido, pero no citado expresamente en el texto de su conferencia, así como en San Sebastián dio lectura al «Diálogo del Amargo».

El texto que reproduzco, que sigue el apógrafo indicado, era, por consiguiente, un guión de lectura del *Romancero* más o menos adaptable a las circunstancias de público y tiempo. El poeta indicó, pues, el título, en ocasiones simplificado, de los textos que iba a recitar, incluido el fragmento –si había tiempo– de *Bodas de sangre*. El primer romance citado procede del *Libro de poemas,* Madrid, 1921, págs. 83-84. Su título original es «El diamante», y aparece fechado en «noviembre de 1920 (Granada)». En esta versión de la conferencia García Lorca ha suprimido cuatro versos y modificado la puntuación y blancos de la versión inicial. Dos de los versos –«Sin saber que lleva atada / una cadena en el cuello»– han sido añadidos a mano en el apógrafo, lo que refrenda la corrección intencionada del poeta de este romance tan tardíamente revisado.

He añadido entre corchetes los romances citados en la conferencia no pertenecientes al *Romancero gitano.*

Índice

283

II. Romances del teatro (1924-1935)

Apéndices